D1413882

La Reine
et moi

Du même auteur

Journal secret d'Adrien, 13 ans 3/4
Stock, 1984

Les Aventures d'Adrian Mole, 15 ans.
Journal secret
Éditions du Seuil, coll. « Point-Virgule », 1986

Sue Townsend

La Reine
et moi

TRADUIT ET ADAPTÉ DE L'ANGLAIS
PAR ANNE DÉBARÈDE

Éditions du Seuil

COLLECTION DIRIGÉE PAR NICOLE VIMARD

En couverture : Illustration Étienne Lécroart

Titre original : *The Queen and I*
© 1992, Sue Townsend
Éditeur original : Methuen London
ISBN original : 0-413-65000-6

ISBN 2-02-019722-7

© Éditions du Seuil, février 1994, pour la traduction française

A Gabrielle, Bailey et Niall

Quand tu t'éveilleras, vois avec tes yeux d'imbécile.

WILLIAM SHAKESPEARE
(Le Songe d'une nuit d'été, acte IV, scène 1)

Avril

1

La Reine était au lit avec Harris et regardait la soirée électorale à la télévision. Il était vingt-trois heures vingt. Harris bâilla, montrant largement ses dents acérées et sa langue rouge vif.

– Les élections t'ennuient, mon chéri ? s'inquiéta la souveraine en lui caressant le cou.

Harris se mit à aboyer en direction de l'écran, sur lequel se déployaient, à un rythme saccadé, des graphiques d'ordinateur illustrés par des bonshommes en chapeaux-claques. La Reine les contempla, amusée et étonnée, et finit par comprendre que les silhouettes rouges, bleues et orange représentaient l'actuelle composition de la Chambre des communes. Un homme élancé se tenait devant les graphiques et, tout en s'agitant comme un sémaphore, débitait un commentaire sur la fiabilité des sondages d'opinion et la probabilité de reconduction du Parlement. La Reine saisit la télécommande et baissa le son. Elle se souvint que, dans l'après-midi, un secrétaire lui avait fait tenir un article découpé dans un journal conservateur, avec une petite note : *Il se peut que ceci divertisse Votre Majesté.*

Elle s'en était divertie, en effet. La voyante appointée par le journal prétendait être entrée en communication avec Staline, Hitler et Gengis Khan. Les trois avaient affirmé que, s'ils en avaient eu la possibilité, ils se seraient rués vers les urnes pour voter travailliste. Au dîner, la Reine avait montré l'article à Philip, mais il n'avait pas saisi la plaisanterie.

Vingt-trois heures vingt-cinq. Harris émit une sorte de râle, sauta du lit et se dandina vers le poste de télévision. Il aboya avec colère en direction de l'écran où s'affichaient les résultats de Basildon. La Reine se cala sur ses oreillers de lin légèrement empesés, se demandant qui, du charmant John Major ou du fort agréable Neil Kinnock, baiserait sa main, le lendemain. Elle n'avait pas de préférence particulière. Les chefs des deux partis étaient en faveur de la monarchie et ils avaient également le mérite de ne pas être Mme Thatcher. Ses yeux déments et sa voix d'étranglée lui avaient suffisamment porté sur les nerfs au cours de leurs rencontres régulières du mardi après-midi. La Reine se demanda si le jour viendrait jamais où un Premier ministre se déclarerait en *défaveur* de la monarchie.

Les bonshommes multicolores disparurent de l'écran pour faire place à des commentaires de politiciens anxieux. Harris perdit tout intérêt à l'affaire et sauta de nouveau sur le lit. Après un tour complet sur lui-même, il s'installa de tout son long sur le confortable couvre-pied en duvet. La Reine lui donna une dernière petite tape pour lui souhaiter bonne nuit. Elle ôta ses lunettes, appuya sur la touche *off* de la télécommande. Etendue dans le noir, elle attendit le sommeil. Les soucis familiaux envahirent son esprit. Elle murmura une prière que Crawfie, sa gouvernante, lui avait apprise, soixante ans auparavant.

> *Si durant la nuit s'éteint ma flamme*
> *Que le Bon Dieu emporte mon âme*

Au moment de sombrer dans le sommeil, une dernière pensée consciente lui traversa l'esprit. Qu'adviendrait-il d'elle-même et de sa famille si un gouvernement républicain était élu ? Cette éventualité constituait son cauchemar, un royal cauchemar.

2

La Reine tressaillit de douleur au moment où Jack Barker écrasa sa cigarette sur le tapis de soie, duquel s'exhala une légère odeur de brûlé. Il repoussa un violent désir de s'excuser et son estomac se mit à gargouiller. La souveraine le regardait avec dédain. Son portrait ornait autrefois la salle de classe où Jack se débattait contre la table de 9. Il avait souvent contemplé Sa Gracieuse Majesté, dans l'attente de l'inspiration. Le prince Charles se baissa pour ramasser le mégot. Il chercha du regard un endroit pour s'en débarrasser et, n'en trouvant aucun, le glissa dans sa poche.

La princesse Margaret dit :

— Lilibet, j'ai *besoin* d'une sèche. Je t'en prie !

— Nous est-il permis d'ouvrir les fenêtres, monsieur Barker ? demanda la Reine.

Le ton de sa voix était coupant comme un bloc de cristal. Jack crut qu'il allait se mettre à saigner.

— Ne prenons pas de risque, répliqua-t-il.

— Disposerai-je d'une demeure pour moi seule, monsieur Barker, questionna la Reine-Mère, ou bien aurai-je à la partager avec ma fille et mon gendre ?

Elle adressa à Jack son célèbre sourire mais ses mains trituraient nerveusement sa jupe bleu pervenche.

— On vous a attribué un studio de retraité, au rez-de-chaussée d'un pavillon. C'est votre droit, en tant que citoyenne ordinaire de ce pays.

— Un rez-de-chaussée, parfait... Je n'aurai pas pu utiliser

les escaliers. Est-ce que mon personnel sera logé avec moi ?
Ou en dehors ?

Jack éclata de rire en regardant ses camarades républicains. Six hommes et six femmes soigneusement sélectionnés pour l'occasion historique. Ils s'esclaffèrent à leur tour.

— Vous n'avez pas l'air de comprendre. Plus de personnel. Les femmes de chambre, les cuisiniers, les secrétaires, les chauffeurs, les femmes de ménage, c'est fini tout ça… (Il se tourna vers la Reine.) Va falloir vous remuer un peu et donner un coup de main à votre maman. Remarquez, elle aura probablement le droit d'aller chercher ses repas à la cantine municipale.

La Reine-Mère parut positivement ravie de la nouvelle.

— Ainsi, je ne mourrai pas de faim ?

— Personne en Grande-Bretagne ne mourra de faim sous le gouvernement du Parti républicain populaire.

Le prince Charles s'éclaircit la gorge :

— Euh… est-il possible… euh… de s'enquérir sur… ? C'est-à-dire, le lieu… ?

— Si vous me demandez votre future adresse, je n'en sais rien. Tout ce que je peux vous dire pour l'instant, c'est que vous serez tous regroupés dans la même rue, mais avec des personnes étrangères comme voisins, des gens de la classe ouvrière. Voici la liste de ce que vous avez le droit d'emporter avec vous.

Jack sortit les photocopies des listes qu'il avait soigneusement établies avec sa femme, deux heures plus tôt. Elles comportaient les en-têtes suivants : *Objets strictement indispensables, Mobilier approprié pour un pavillon et un studio de retraité alloués par le district.* La Reine-Mère nota que sa liste était beaucoup plus courte. Jack brandit les papiers mais personne ne s'avança pour les saisir. Il ne fit pas un geste. Il savait que l'un d'entre eux finirait par craquer. En fin de compte, ce fut Diana qui se leva. Elle avait horreur des scènes. Elle distribua à chaque membre de la famille sa liste personnelle. Ils se tinrent silencieux un bon moment.

Ils lisaient. Jack tripotait le revolver dans sa poche. Il savait qu'il n'était pas chargé.

— Monsieur Barker, je ne vois aucune mention concernant les chiens, dit la Reine.

— Et les chevaux ? ajouta Charles.

— Vous avez l'intention d'élever un cheval dans le jardin d'un pavillon de banlieue ?

— Non. Evidemment. Où avais-je donc la tête ?

— Les vêtements ne sont pas sur la liste, murmura Diana timidement.

— Inutile d'en embarquer une quantité. Juste l'essentiel. Vous ne ferez plus d'apparitions publiques, n'est-ce pas ?

La princesse Ann se leva et se tint près de son père.

— Merci, Seigneur, merci ! Voilà au moins une bonne chose à tirer de cette foutue pagaille. Vous vous sentez mal, Papââ ?

Le prince Philip se trouvait en état de choc depuis la nuit précédente. Depuis le moment où, mettant en marche la télévision, à vingt-trois heures vingt-cinq, il avait appris l'élection de Jack Barker, fondateur et chef du Parti républicain populaire, comme représentant de Kensington West. Le prince Philip, n'en croyant pas ses yeux, avait assisté au discours de Barker à l'hôtel de ville, devant des foules réjouies. Des contribuables d'âge moyen criaient leur joie, coude à coude avec des jeunes gens arborant des jeans en loques et des anneaux dans le nez. Il avait saisi le téléphone pour demander à sa femme d'allumer la télévision. Une demi-heure plus tard, elle le rappelait : « Philip, je vous prie, venez dans ma chambre. »

Ils restèrent éveillés jusqu'aux petites heures de l'aube à regarder les candidats républicains se faire élire à la queue leu leu, sous les applaudissements des citoyens britanniques. L'un après l'autre, leurs enfants les avaient rejoints. A sept heures trente, les servantes apportèrent le petit déjeuner mais personne n'y toucha. Vers onze heures, le Parti républicain populaire avait remporté 451 sièges et John

Major, le Premier ministre conservateur, admettait, de mauvaise grâce, sa défaite. Peu après, Jack Barker annonçait qu'il devenait Premier ministre. Son premier travail, annonça-t-il : se rendre à Buckingham Palace pour ordonner à la Reine d'abdiquer.

Treize républicains populaires en minibus furent acclamés par des policiers souriants, au moment où s'ouvraient les grilles du Palais. Les horse-guards avaient retiré leurs couvre-chefs en poil d'ours et les agitaient en l'air. Les membres du personnel privé de la Reine leur serrèrent la main. On proposa du champagne mais l'offre fut déclinée.

Jusqu'à son élection comme représentant de Kensington West, Jack Barker était le chef d'une section scissionniste du Syndicat des techniciens de la télévision. Pendant les trois semaines précédant les élections générales, Jack et ses adhérents protestataires avaient diffusé des messages subliminaux en direction des téléspectateurs : VOTEZ RÉPUBLICAIN. À BAS LA ROYAUTÉ.

Le samedi précédant le vote, le *Times* avait appelé à la suppression de la monarchie. Une centaine de milliers d'anti-royalistes avaient défilé de Trafalgar Square à Clarence House. Ils ignoraient que la Reine-Mère se trouvait aux courses. Un violent orage avait dispersé les manifestants avant son retour mais, de la fenêtre de sa limousine, elle aperçut quelques pancartes abandonnées sur la chaussée. DIEU VOUS MAUDISSE, MAJESTÉ. Une erreur, pensa-t-elle, ils voulaient *sûrement* écrire : « Dieu vous bénisse », non ?

Ce soir-là, elle se fit la réflexion que le personnel se montrait revêche et réticent. Elle dut attendre une demi-heure avant qu'une servante vînt tirer les rideaux de sa chambre.

Le jour du vote, le peuple britannique, le cerveau lavé par les techniciens de la télé, avait fait son choix.

Après avoir frappé à la porte, un officier de la Garde entra dans la pièce.

– On vous réclame, monsieur, dit-il.

Jack le reprit sèchement :

– Ne m'appelez pas *monsieur*, seulement Jack Barker, vu ? (Puis il se tourna vers la petite assemblée royale.) Maintenant, allons sur le balcon prendre l'air.

La traversée du Palais le mit hors d'haleine ; il manquait d'entraînement et cela faisait des siècles qu'il n'avait pas marché aussi longtemps.

– Vous avez combien de pièces là-dedans ? demanda-t-il à la Reine alors qu'il se traînait péniblement à ses côtés dans des corridors interminables.

– Un nombre suffisant, répondit-elle.

– Quatre cent trente-neuf, à ce que nous en savons, dit Charles, plein de bonne volonté.

Au détour d'un couloir, ils perçurent un grondement râleur. Comme si on avait réveillé à coups de bâton un ours en train d'hiberner. Au moment où les républicains populaires et les royaux pénétraient dans le Salon central, ils furent assourdis par le bruit. Jack Barker s'avança sur le balcon. En bas, la foule grondait et criait à pleine gorge : « Vire-les tous, Jack ! »

Ce dernier embrassa du regard les citoyens britanniques entourant le Palais. Le Mall et Hyde Park grouillaient de monde. On n'apercevait pas un seul pavé ni le moindre brin d'herbe. Désormais, Jack était responsable d'eux et de leurs besoins, depuis la nourriture jusqu'aux égouts, en passant par le système scolaire, avec l'urgence de trouver l'argent pour payer tout ça. En serait-il capable ? Combien de temps lui serait accordé pour faire ses preuves ?

Il cria pour se faire entendre au-dessus du vacarme :

– L'ex-famille royale voudrait-elle bien me rejoindre ?

La Reine redressa la nuque, ajusta la poignée de son sac à main sur son bras et s'avança sur le balcon. Lorsque la foule aperçut la frêle silhouette familière, elle commença par se taire, puis, comme un enfant défiant un parent sévère, elle se remit à gronder : « Vire-les tous, Jack ! »

Comme la suite des ex-royaux s'alignait à son tour sur le balcon, les huées et les lazzis commencèrent. Diana fit mine

de saisir le bras de son mari, mais ce dernier fronça les
sourcils et croisa ses mains derrière son dos. La princesse
Margaret alluma une cigarette qu'elle introduisit dans un
fume-cigarette en écaille. Le prince Philip et la princesse
royale se donnèrent le bras et s'affermirent sur leurs jambes
comme si le bruit de la foule avait le pouvoir de les flan-
quer par terre.

La Reine-Mère sourit et agita la main car telle était
son habitude. Elle était trop vieille maintenant pour en
changer. Elle avait envie d'un gin-tonic. Certes, elle n'avait
pas l'habitude de boire de l'alcool avant le déjeuner, mais
cette journée était un tantinet spéciale. Elle demanderait à
M. Barker qu'on lui serve un verre quand ils en auraient
fini avec cette désagréable corvée.

L'un des républicains tendit à Jack un sac en plastique qui
contenait quelque chose de lourd et d'encombrant. Le fond
du sac était bien près de craquer.

Deux hommes le maintinrent ouvert pendant que Jack en
extirpait la couronne impériale, bordée de perles et ornée de
pavés scintillants d'émeraudes, de saphirs et de diamants.
Jack tourna la couronne de manière à ce que la foule dis-
tingue parfaitement le rubis du Prince Noir. Puis il la tint à
bout de bras au-dessus de sa tête avant de la précipiter dans
le vide. La Reine se rappela à quel point elle avait détesté et
redouté ce diadème. Les nuits précédant son couronnement,
elle avait rêvé que la tiare tombait de sa tête à l'instant où elle
se levait de son trône. En contemplant le personnel de sa
Maison à quatre pattes pour tenter de récupérer les joyaux,
elle se souvint de la respiration nerveuse de l'archevêque de
Canterbury au moment précis où il déposait trois kilos deux
cents grammes de couronne sur sa tête.

– Maintenant, vous dites au revoir, ordonna Jack Barker.

L'ex-famille royale salua de la main. Chacun avait en
mémoire des occasions plus réjouissantes, des robes de
mariage, des baisers, sous les ovations d'une foule idolâtre.
Ils tournèrent le dos et regagnèrent le salon. C'était au tour
de Jack et de ses collègues d'être ovationnés, à tel point que

les tableaux suspendus au mur se mirent à trembler. Jack ne resta pas très longtemps, il ne voulait pas encourager le culte de la personnalité, source de jalousie et de ressentiment. Il tenait à garder aussi longtemps que possible l'affection et le respect de ses collègues. Il aimait les responsabilités. A la maternelle, déjà, il était le délégué à la distribution du lait, déposant une petite bouteille blanche devant chaque gamin, l'encourageant à patienter avant de recevoir sa paille. Puis il ramassait les petites cuillères en aluminium et les pressait dans une large sphère destinée à les recueillir, à l'intention d'une œuvre pour les aveugles. Si, par inadvertance, un enfant venait à écraser sa paille, Jack refusait très fermement de lui en donner une autre.

Lorsqu'il avait cinq ans, il vivait, chez lui, dans une sorte de chaos. C'est pourquoi il aimait l'école ; à cause du règlement. Lorsque la grasse Mme Biggs, son institutrice, le grondait, il se sentait en sécurité. Sa mère ne l'avait jamais disputé. Elle lui parlait à peine, sauf pour l'expédier chercher ses Woodbines [1].

A l'intérieur du Salon central, la Reine balaya de la main la fumée de la cigarette de Margaret et demanda :

— De combien de temps disposons-nous ?

— Quarante-huit heures, répondit Jack.

— C'est une mise en demeure plutôt rapide, monsieur Barker.

— Vous auriez dû réaliser que votre temps était fini, il y a déjà des années, répliqua Jack. (Il se tourna vers les royaux, toujours blottis les uns contre les autres.) Rentrez chez vous et restez-y, on vous informera de vos dates de déménagement... Plutôt soulagé, non ? ajouta-t-il à l'intention de Charles.

Le Prince de Galles fit celui qui n'avait rien entendu :

— Monsieur Barker, est-il possible que je déménage également dimanche ? J'aimerais aider ma mère...

---

1. Cigarettes très bon marché, vendues par paquets de cinq.

Jack eut un sourire sardonique.

– Mais bien entendu. C'est votre prérogative. Je ne parle pas de prérogative *royale*, c'est fini, ça.

Charles sentit qu'il devait faire preuve de résistance en présence de la Reine.

– Ma famille s'est dévouée durant des années au service de ce pays, ma mère en particulier…

– Elle a été grassement payée pour ce job, rétorqua vivement Jack. Je pourrais vous nommer une douzaine de personnes qui ont bossé deux fois plus que votre mère pour leur pays et qui ont reçu des nèfles.

Le mot « nèfle » appartenait à l'enfance de Jack, ce temps de pauvreté et d'humiliation durant lequel s'était formée sa conscience politique.

Le prince Charles frotta l'aile de son nez avec un doigt manucuré :

– Mais nous avons perpétué un certain nombre de traditions…

Jack était ravi de cette conversation. Il l'avait répétée dans sa tête maintes et maintes fois.

– Ce que votre famille a perpétué, dit-il, c'est une hiérarchie. Vous au sommet et les autres, inévitablement, en dessous. Résultat, notre pays est une société de classes. Il est étranglé par la déférence, monsieur Windsor. Nous avons stagné alors que votre famille capitalisait sa richesse et son pouvoir. Je vais gaiement mettre fin à cette inégalité.

La Reine se sentit soudain fatiguée de tout ce boniment républicain.

– Et alors, vous allez vous mettre en quête d'un nouveau symbole, un président ou quelque chose d'approchant ?

– Non, répondit Jack, les citoyens britanniques seront eux-mêmes leur propre symbole. Cinquante-sept millions d'entre eux.

– Difficile de photographier cinquante-sept millions d'individus, fit la Reine. (Elle ouvrit et referma d'un coup sec son sac à main. Jack nota qu'il était vide, à l'exception d'un mouchoir en dentelle.) Ai-je la permission de me retirer ?

– Mais certainement, dit Jack en inclinant légèrement la tête.

La Reine sortit. Tout en marchant, elle parcourut la liste des objets qu'elle était autorisée à emporter, ainsi que la description de sa nouvelle demeure.

9, HELLEBORE CLOSE
CITÉ DES FLEURS

INFORMATION GÉNÉRALE

Pavillon jumeau de deux chambres construit avant la guerre, situé Cité des Fleurs et récemment remis à neuf. Il comporte : perron, entrée, séjour, cuisine, salle de bains, dégagement, deux chambres, débarras, WC séparés. A l'extérieur, allée, jardin sur le devant, arrière-cour.

ARRANGEMENT

Rez-de-chaussée :

Entrée principale : porte donnant sur le couloir.

Couloir entrée : escaliers conduisant à l'étage. Volume de rangement, placard.

Séjour : 14 pieds 10 pouces sur 12 pieds 7 pouces[1]. Arrivée de gaz.

Cuisine : 9 pieds 6 pouces sur 9 pieds 9 pouces ; à équiper mais comportant évier, gaz et porte donnant sur l'arrière-cour.

Salle d'eau : baignoire de fonte, lavabo, murs partiellement carrelés, vitre dépolie à la fenêtre, chauffe-eau.

1. L'équivalence exacte du pied étant de 30,48 centimètres et celle du pouce, douzième du pied, de 2,54 centimètres, la surface du séjour est, à titre indicatif, de 17,34061 mètres carrés, celle de la Chambre 2 de 8,01933 mètres carrés.

Premier étage :
Dégagement donnant accès au grenier.
Chambre 1 : 13 pieds 1 pouce sur 10 pieds 1 pouce.
Chambre 2 : 9 pieds 5 pouces sur 9 pieds 2 pouces.
Placard : 6 pieds sur 6 pieds.
WC séparés avec urinoir et imposte munie de verre dépoli.

Extérieur :
Le pavillon est accessible par l'allée du jardin qui contourne la maison et l'entrée située à l'arrière.
Prière de noter que nous ne pouvons certifier le bon fonctionnement du chauffe-eau ou d'aucun système de chauffage.

La nuit tombait lorsque le camion de déménagement parvint devant le 9, Hellebore Close. La Reine jeta un regard glacé sur sa nouvelle demeure. Dans les ténèbres, la maison sinistre sembla lui rendre son regard à contrecœur. Les fenêtres disparaissaient sous des planches clouées en travers avec une sorte de violence. Dans un renfoncement, en haut des marches, s'élevait un sycomore maigrelet.

La Reine ajusta son foulard sur sa tête et redressa les épaules. Elle contempla un instant la misérable porte d'entrée. Notre mobilier ne passera jamais à travers, pensa-t-elle, et nous avons un mur... quel est le terme technique ?... mitoyen, c'est ça, avec la maison voisine.

La porte du 11 s'ouvrit sur un homme en maillot de corps et bleu de travail. Il sortit sur le perron, bientôt rejoint par une femme blonde et boulotte portant des vêtements trop petits d'une bonne taille et des mules rouges ornées d'un duvet qui s'agitait dans la brise du soir comme ces créatures sous-marines à la recherche du plancton.

Les deux étaient mari et femme – Beverley et Tony Threadgold – et les nouveaux voisins de la Reine. Ils regardaient le camion avec des yeux ronds, sans chercher à cacher leur curiosité. Le pavillon jouxtant le leur était resté vide pendant un an et ils avaient bénéficié d'une intimité toute relative. Ils avaient pu brailler, claquer les portes et faire l'amour à grand fracas. C'en était désormais fini, à leur grand mécontentement. Ils espéraient que leurs nouveaux voisins seraient raisonnablement, mais pas trop, respectables.

Le chauffeur fit le tour du camion pour ouvrir la portière. La Reine descendit en remerciant le ciel pour l'ampleur de sa jupe en tweed.

— Venez, Philip, dit-elle d'une voix encourageante.

Mais Philip demeura assis à l'avant du camion, serrant contre lui sa serviette en cuir, comme un hypothermique s'accroche à sa bouillotte.

— Philip, ce monsieur doit retourner près de sa famille.

Le conducteur fut tout aise de s'entendre appeler « monsieur » par la Reine.

— Pas le feu, fit-il d'un ton gracieux.

En réalité, il était impatient de retrouver son propre pavillon de banlieue pour raconter à sa femme son voyage avec la Reine dans le camion, et comment lui et la majesté avaient discuté du traitement homéopathique chez les chiens et des problèmes causés par les enfants quand ils atteignent l'adolescence.

— J'vais vous donner un coup d'main pour vot' bazar, proposa-t-il.

— C'est vraiment trop aimable, mais le Parti républicain populaire a émis la suggestion que mon mari et moi-même apprenions à nous débrouiller seuls.

— A la maison, personne était pour eux. On a toujours voté conservateur.

La Reine baissa la voix :

— Quelqu'un, dans *ma* maison, était pour eux.

Le chauffeur hocha la tête en direction du prince Philip :

— Pas çui-là, quand même ?

Cette seule idée déclencha l'hilarité d'Elizabeth.

Un second camion fit une entrée bruyante dans la rue. Les portes s'ouvrirent immédiatement et les petits-enfants de la Reine en surgirent. Elle agita la main et les garçons coururent vers elle. Le prince Charles aida sa femme à descendre. Diana avait revêtu une tenue adaptée à l'adversité : jeans et santiags. Elle jeta un regard sur le 8, Hellebore Close, et frissonna. Mais le prince Charles souriait. Ici, au moins, c'était la vraie vie.

Sur la plaque, la majorité des lettres formant le mot Hellebore étaient effacées. HELL   CLOSE, annonçait-elle désormais, à la lueur tremblotante d'un réverbère.

La Reine eut un frisson.

– HELL, l'Enfer ! c'est sûrement comme ça. Pas étonnant que je n'aie jamais rien vu de tel dans toute ma vie…

Elle avait visité bien des cités de banlieue, inauguré des centres communautaires, circulé parmi des foules pavoisées qui l'acclamaient. Elle avait fait quelques pas hors de sa voiture sur des tapis rouges, accepté des bouquets de fleurs tendus par des petits bras d'enfants endimanchés. Elle avait reçu l'hommage de dignitaires en frac, coupé des rubans, découvert des plaques commémoratives, signé des livres d'or. Puis, de nouveau, tapis rouge, limousine, hélicoptère et bonsoir ! Elle avait suivi ces documentaires étranges de BBC2 sur la misère dans les zones urbaines, écouté de pauvres gens parler, avec des phrases maladroites, de leur pénible existence. Mais elle avait regardé ces émissions comme autant de curiosités sociologiques, comme elle l'aurait fait des cérémonies de circoncision chez les Indiens d'Amazonie. Des histoires si lointaines qu'elles ne comptaient pas réellement.

L'endroit sentait affreusement mauvais. Quelqu'un faisait brûler des vieux pneus. La fumée âcre se répandait lentement au-dessus des toits. Aucune maison de la rue ne possédait toutes ses fenêtres intactes. Les barrières étaient brisées ou bien elles avaient disparu. Des détritus jonchaient les jardins, des sacs en plastique noir déchirés par des chiens à la

recherche d'ordures. On percevait la lueur sautillante des
postes de télé et leur son braillard. Une voiture de police
remonta la rue et s'arrêta. Un policier ramassa un jeune garçon sur le trottoir, le jeta à l'arrière de la voiture et démarra
sur les chapeaux de roues tandis que le gamin s'agitait derrière la vitre. Un homme était étendu sous la carcasse d'une
voiture posée sur des briques. D'autres, accroupis, le regardaient à la lueur d'une torche ; des hommes aux cheveux
longs et gras, les bras ornés de tatouages, fumaient en dissi-
mulant leur cigarette dans leurs mains repliées. Une femme
perchée sur des talons aiguilles blancs courait derrière un
garçonnet vacillant sur ses jambes, les fesses à l'air. Elle saisit son petit bras grassouillet et le remorqua à l'intérieur de la
maison.

— T'restes là et t'bouges pus ! hurla-t-elle. Qui c'est qu'a
encore laissé c'te putain d'porte ouverte ? ajouta-t-elle à
l'attention d'autres enfants, invisibles.

La Reine se souvint des histoires que Crawfie lui racontait dans la nursery à l'heure du thé. Des elfes et des sor-
cières, des contrées étranges peuplées de personnages
sinistres. Elizabeth suppliait sa gouvernante d'arrêter mais
celle-ci continuait de plus belle. « Allez, allez, secouez-
vous, disait-elle en riant, vous êtes bien trop sensible. »
Crawfie ne parlait ni ne riait jamais ainsi en présence de
Maman.

Une pensée traversa soudain l'esprit de la Reine. Crawfie
savait. Elle avait deviné. Elle me préparait pour la rue de
l'Enfer.

Mettant à profit l'absence de leur nurse, William et Harry
descendaient et remontaient la rue en courant, tout excités
par la nouveauté de l'aventure. Ma et Pa se tenaient devant
la porte d'une vieille maison très sale et essayaient d'introduire une clé dans la serrure. William demanda :

— Que faites-vous, Paâ ?

— J'essaie d'entrer.

— Pourquoi ?

— Parce que nous allons vivre ici.

William et Harry s'esclaffèrent bruyamment. Ce n'était pas tous les jours que Pa disait une blague. Parfois, il prenait une voix ridicule et racontait des histoires, comme dans *Les Guignols de l'Info*, mais, la plupart du temps, il était sérieux comme un pape. Il fronçait les sourcils et faisait la morale.

— Maman a dit que c'est notre nouvelle maison.

— Pourquoi nouvelle puisqu'elle est vieille ? fit remarquer William.

Et les gamins de s'étouffer de rire. William perdit l'équilibre et s'appuya sur la barrière goudronnée qui séparait leur terrain du jardin adjacent. Les planches branlantes s'effondrèrent sous son faible poids. En le voyant écroulé et hurlant au milieu des bouts de bois éparpillés, Diana chercha automatiquement la nurse du regard. Celle-ci savait toujours quoi faire dans ces circonstances, mais aujourd'hui elle n'était pas là. La princesse se pencha pour tirer son fils de sa désastreuse situation. Harry pleurnichait et s'agrippait au blouson en jean maternel. Charles expédia un furieux coup de pied dans la porte qui s'ouvrit, libérant une odeur de renfermé, de moisi et de graisse rance. Il alluma la lumière du couloir et, de l'index, il fit signe à sa femme et à ses enfants d'entrer.

Tony Threadgold alluma une cigarette et la tendit à sa femme. Puis il en alluma une pour lui-même. Ses bonnes manières étaient un sujet de plaisanterie au pub. Un soir, il avait dit : « Excusez-moi » alors qu'il se frayait un chemin vers le bar encombré, un plateau de verres à la main, juste pour tester sa virilité. « Excusez-moi ? avait rigolé un gros bonhomme avec des yeux d'illuminé. T'es un pédé ou quoi ? »

Tony avait écrasé le plateau sur la tête du type puis immédiatement présenté ses excuses à Bev pour le retard mis à lui apporter les boissons. Ses manières étaient vraiment exquises.

Les Threadgold regardaient la silhouette indécise qui

priait un homme élancé de sortir du camion. Une étrangère ? En tout cas, elle ne parlait pas leur langue. Au bout d'un moment, leurs oreilles s'accoutumèrent aux sonorités et ils réalisèrent que c'était bien de l'anglais. Mais de l'anglais distingué. Tout ce qu'il y a de plus *distingué*.

— Tonio, qu'est-ce qui leur prend, aux bourges, de s'am'ner par ici ? demanda Beverley.

— Chais pas, répliqua Tony, en scrutant l'obscurité. J'lai d'jà vue quéque part. S'rait pas la s'crétaire du docteur Kahn ?

— Non, affirma Beverley (qui passait son temps chez le médecin et avait donc quelque autorité en la matière), rien à voir.

— Bordel, c'est bien not'putain d'chance d'avoir des bourges à côté !

— Au moins, i'chieront pas dans la baignoire, comme l'autre bande de tarés…

— C'est déjà ça, concéda Tony.

Le prince Philip contemplait le numéro 9 avec ahurissement. La lumière vacillante d'un réverbère éclairait d'une manière théâtrale le délabrement de sa future demeure. On aurait cru voir – toujours sur une scène de théâtre – la zébrure des éclairs annonçant un orage en mer. Le chauffeur abaissa la rampe à l'arrière du camion et grimpa à l'intérieur. Jamais il ne lui avait été donné de voir – en vingt et un ans de déménagements – un si joli mobilier. Le chien se mit à grogner et à aboyer dans sa cage en précipitant son féroce petit corps contre les barreaux.

— Z'ont un chien, annonça Tony.

— Tant qu'y savent le t'nir, dit Beverley.

Tony pressa l'épaule de sa femme. Une bonne petite. Tolérante, avec ça.

Le prince Philip avait retrouvé sa voix.

— C'est a-bso-lu-ment impossible. Je refuse. J'aimerais mieux habiter dans une foutue tombe. Et cette foutue *lumière* va me rendre *malade*.

Il invectivait l'ampoule qui continuait son effet d'orage

en mer et se transforma en ouragan lorsque Philip se mit à agiter violemment le pied du réverbère.

Beverley dit :

– J'y suis. C'est un dingue. Un vieux dingue. Maintenant, on préfère les faire sortir pour qu'y meurent pas à l'asile.

Tony observa Philip qui courait à l'arrière du camion en vociférant à l'adresse du petit chien :

– Silence, Harris, stupide petit étron !

– Tu dois avoir raison, Bev, dit Tony.

Ils allaient rentrer dans la maison lorsque la Reine leur adressa la parole.

– Je vous demande pardon, auriez-vous une hache à me prêter ?

– Une *ââche* ? répéta Tony.

– Oui, une hache.

La Reine s'avança sur leur perron.

– Une *ââche* ? s'inquiéta Beverley.

– Cela même.

– Chais pas c'que c'est, une *ââche*…

– Vous ne savez pas ce qu'est une hache ?

– Non.

– On s'en sert pour couper du bois.

La Reine commençait à s'impatienter. Elle avait formulé une requête banale. Apparemment, ses voisins étaient des demeurés. Elle était au fait de la baisse du niveau scolaire de la population. Mais de là à ignorer ce qu'était une hache… Un vrai scandale.

– J'aurais besoin d'un outil pour accéder à ma maison.

– Pour faire *quoi* à vot' maison ?

– Y accéder.

Le chauffeur proposa ses services de traducteur. Les heures passées à bavarder avec la Reine l'avaient préparé à des performances linguistiques dont il ne se serait jamais cru capable.

– La dame veut savoir si t'aurais pas *unache* ?

– Sûr que j'ai *unache*. Mais pas question d'la filer à l'autre, dit Tony en montrant Philip.

La Reine avança vers la porte des Threadgold, et la lumière
du couloir éclaira son visage. Beverley ouvrit des yeux
grands comme des soucoupes et esquissa une révérence
maladroite. Tony trébucha vers l'arrière et saisit le linteau
de la porte pour retrouver son équilibre.

— C'est derrière. J'vais la chercher.

Beverley éclata en sanglots.

— C'était le choc, confia-t-elle plus tard à Tony alors
qu'ils restaient dans leur lit, incapables de dormir. J'veux
dire… Qui aurait cru ? J'le crois toujours pas, Tonio.

— Moi non plus, Bev. La Reine de l'aut'côté… On va
demander à déménager, hein ?

Légèrement réconfortée, Beverley s'endormit.

Tony avait arraché les planches de la porte d'entrée, mais
ce fut le prince Philip qui, saisissant la clé dans la main de
sa femme, la tourna dans la serrure pour pénétrer, le premier, dans la maison. Cette dernière était ridiculement
petite.

— J'avais une maison de poupée plus grande que ça, dit
la Reine en inspectant la pièce principale.

— Nous avions des foutues *automobiles* plus grandes que
ça, grogna Philip en montant péniblement les escaliers.

Tous les murs étaient tapissés de papier gaufré sur lequel
on avait passé une couche de peinture vert Nil.

— C'est joli, commenta le chauffeur. Ça fait propre.

Tony Threadgold approuva :

— Ouais. Après qu'y z'ont viré les Smith, le service de nettoiement est venu. Avec un genre de combinaison de plongée
et des masques à oxygène. C'était des vrais dégueulasses,
les Smith. Vous avez de la chance. La mairie a tout refait à
neuf.

Beverley apporta cinq chopes de thé très fort. Elle donna
la seule chope intacte à la Reine. Le prince Philip eut droit à
la moins craquelée, celle ornée de l'inscription *Tour de
Londres*. Elle se réserva la plus moche (elle fuyait légère-

ment), avec l'inscription *L'alcool tue lentement mais je ne suis pas pressé.* Quand la sonnerie du téléphone retentit, tous sursautèrent. Le prince finit par localiser l'appareil derrière le compteur à gaz.

— C'est pour vous, dit-il en tendant le récepteur à sa femme.

C'était Jack Barker.

— Ça vous plaît ? s'enquit-il.

— Ça ne me plaît pas du tout. Et *vous*, cela vous plaît-il ?

— Quoi ?

— Downing Street. Il y a un travail fou, n'est-ce pas ? Toutes ces boîtes rouges[1]...

— Les boîtes rouges ! s'esclaffa Barker. J'ai autre chose à faire que de bricoler des boîtes rouges ! Bonsoir.

La Reine reposa l'appareil et déclara :

— Nous ferions mieux de commencer à emménager, n'est-ce pas ?

---

1. Boîtes en maroquin rouge frappées du sigle ER (Elizabeth Regina) qui circulent entre Downing Street et Buckingham. Elles contiennent les documents par lesquels le Premier ministre « informe » la souveraine des affaires du pays.

5

A dix heures, Tony Threadgold brancha la télévision de la Reine dans la prise située dans le mur lézardé et, après s'être débattu avec l'antenne intérieure, il mit l'appareil en marche.

– Politique de merde, ronchonna-t-il, au moment où le visage de Jack Barker envahissait l'écran.

Il esquissa le geste d'éteindre la télé, mais la Reine intervint :

– Non, s'il vous plaît, laissez.

Et elle s'assit sur une caisse en bois.

C'était la première fois que la cuisine du 10, Downing Street était utilisée pour une conférence de presse télévisée du Premier ministre. Le nouveau cabinet de Jack – six homme et six femmes – était distribué autour d'une grande table, tous s'efforçant de prendre un air détendu. Jack occupait une chaise Windsor, à l'extrémité de la table, face aux caméras. Des tasses à café, des fleurs fraîches dans un vase, une corbeille de fruits et des papiers à l'allure officielle étaient disposés en un savant fouillis pour suggérer une réunion de travail informelle.

Jack avait relevé ses manches jusqu'au coude. Ses traits plutôt réguliers étaient encore mis en valeur par le maquillage. Il s'exprimait dans une langue à la fois châtiée et populaire et ne ménageait pas son sourire, qui, il le savait, faisait toujours son effet. Ses collaborateurs s'étaient montrés plutôt inquiets devant sa résolution d'écrire lui-même son discours. Au moment où il se mit à lire sa propre prose, celle-ci lui parut soudain pompeuse et ridicule. Mais il était trop tard pour en changer.

– Citoyens ! Nous ne sommes plus de loyaux sujets ! Chaque homme, chaque femme, chaque enfant de ce pays peut désormais relever bien haut la tête, enfin libéré de ce détestable système de classes qui a ruiné notre société pendant des siècles. A partir de cet instant, rangs, titres et privilèges sont abolis. L'Etat ne connaît plus que Monsieur, Madame ou Mademoiselle.

« Les parasites royaux mèneront maintenant une vie ordinaire au milieu de gens ordinaires. Il est rigoureusement interdit, sous peine de graves poursuites, de s'incliner devant eux, de leur faire la révérence ou de leur manifester les anciennes formes de respect. Leurs terres, propriétés, tableaux, bijoux, élevages deviennent en totalité propriété de l'Etat. Nous avertissons tous ceux qui se commettront avec la ci-devant famille royale que leur conduite, si elle vient à la connaissance des autorités, sera aussitôt punie.

« Toutefois, l'ex-famille royale est sous la protection des lois de ce pays. Quiconque chercherait à l'intimider, l'effrayer, la tromper, lui faire du mal ou violer sa vie privée serait traîné devant les tribunaux. Nous espérons que les Windsor s'intégreront dans leur communauté locale, qu'ils trouveront un emploi et qu'ils sauront se rendre utiles à la société – ce qui n'a pas été le cas depuis quelques centaines d'années.

« Les joyaux de la couronne seront dispersés en vente publique à Sotheby's, dès que possible. Le produit de cette vente sera affecté au fonctionnement de l'Etat britannique. Le gouvernement japonais s'intéresse de très près à cette vente. Il est faux de dire que les joyaux de la Couronne sont "sans prix". Tout a un prix.

« Par conséquent, camarades citoyens, relevez bien haut la tête. Votre sujétion est définitivement révolue.

– Eh bien, qu'est-ce que tu en as pensé ? demanda Jack à sa femme.

Ils étaient assis dans leur lit, au 10, Downing Street. Sur la courtepointe s'empilaient documents, brouillons, lettres officielles ou personnelles. Un fax vomissait interminablement des rapports, des félicitations ou des injures. Le répondeur ronronnait en bruit de fond. Jack s'était entretenu cinq minutes auparavant avec le président des Etats-Unis, qui lui avait avoué : « Je ne m'étais jamais senti très à l'aise avec votre monarchie, mon vieux Jack. »

Barker avait beau s'en défendre, cette voix traînante l'avait fortement impressionné. Un sentiment qu'il lui faudrait désormais surveiller. Il avait tendance à apprécier la compagnie des gens célèbres, mais maintenant il était devenu lui-même une célébrité…

Pat tendit à son mari du fromage et des biscuits.

– Tu as l'intention de faire quoi, avec la livre, Jack ?

Les capitaux se déversaient hors du pays comme après la rupture d'une digue.

– J'ai rendez-vous avec les Japonais lundi.

La Reine se releva avec peine de la caisse sur laquelle elle s'était assise le temps de regarder l'émission. Elle avait tant à faire. Elle sortit dans le couloir. Tony et Beverley hissaient un matelas de deux personnes le long des escaliers étroits. Philip les suivait en portant une tête-de-lit en bois sculpté.

– Lilibet, dit-il, je ne trouve aucun autre lit dans le camion.

La Reine fronça les sourcils.

– Je suis pourtant certaine d'en avoir demandé deux. Un pour moi et un pour vous.

Philip soupira :

– Comment sommes-nous supposés dormir, cette nuit ?

– Ensemble, répondit la Reine.

6

Les tapis étaient trop grands pour les pièces minuscules.

– J'ai un pote, Spiggy, y pose des moquettes. Y pourrait vous couper ça à la bonne taille. Y vous prendra pas plus de 500 balles, proposa Tony.

La Reine contempla ses tapis d'Aubusson empilés dans le couloir comme un tas de bûches chamarrées.

Bev prit la parole :

– Vous pourriez pt'être vous en payer des neufs. J'veux pas vous vexer mais y sont usés jusqu'à la corde, non ? On voit à travers.

– Spiggy vous poserait une moquette dans toute la baraque pour deux mille cinq cents balles tout compris, suggéra Tony, serviable. Il a justement un lot d'un beau vert gazon. Le même qu'on a dans le salon.

Il était vingt-deux heures trente et le mobilier encombrait toujours le camion. Le chauffeur s'était endormi, la tête sur le changement de vitesse.

– Philip, qu'en pensez-vous ?

La Reine était à bout – jamais elle n'avait ressenti une telle fatigue. Elle aurait voulu se retirer dans sa chambre de Buckingham Palace. Sa tenue de nuit aurait été préparée sur son lit. Elle aurait glissé son corps entre les draps de lin, niché sa tête dans les doux oreillers et se serait endormie pour toujours ou, du moins, jusqu'à ce qu'on lui apporte le thé, le lendemain matin.

Philip était assis sur les marches, serrant sa tête entre ses paumes. Le coup de main qu'il avait donné pour transporter les tapis l'avait proprement vidé. Il avait toujours pensé qu'il était en bonne forme physique. Apparemment, ce n'était pas le cas.

– J'en sais foutre rien. Faites comme vous l'entendez, marmonna-t-il.

– Que l'on fasse venir M. Spiggy, dit la Reine.

Spiggy fit son apparition trois quarts d'heure plus tard avec son cutter, sa règle en fer et quatre canettes de Carlsberg. La Reine préféra ne pas regarder lorsque l'homme de l'art se mit en devoir de découper en tranches ses précieux tapis. Elle sortit le chien pour une promenade. Lorsqu'elle atteignit l'extrémité de la rue, un policier était en train d'installer une barrière mobile. Poliment, il l'empêcha d'aller plus loin. Un certain inspecteur Denton Holyland surgit d'une guérite et déclara que le reste de la Cité des Fleurs n'était pas autorisé à la famille royale, « jusqu'à nouvel ordre ».

– J'ai déjà prévenu votre fils. Il voulait se trouver des sandwichs, mais j'ai dû le faire revenir sur ses pas. Ordre de M. Barker.

La Reine fit quatre fois le tour du pâté de maisons sans rencontrer âme qui vive à l'exception d'une espèce de chien bâtard. Je vis dans un ghetto, se dit-elle. Je dois me considérer comme un prisonnier de guerre. Il me faut être courageuse et maintenir mon propre système de valeurs. Elle frappa à la porte de son fils.

– Puis-je entrer ?

Diana était dans le corridor. La Reine vit qu'elle avait pleuré. Il ne serait pas convenable de lui exprimer sa sympathie, pensa-t-elle, pas maintenant.

– Nos tapis sont trop grands, dit Diana d'une voix étranglée, et les meubles sont toujours dans le camion…

Le prince Charles et le chauffeur firent leur entrée en se débattant gauchement avec une carpette chinoise.

– C'est sans espoir, chérie.

Le prince était haletant.

– Fais attention à ton dos, Charles. Il y a un petit bonhomme, en haut de la rue, qui coupe les tapis à la bonne dimension...

– Maman, je pense que... euh... il ne convient pas... Enfin, n'est-il pas terriblement condescendant de notre part... Je veux dire dans les circonstances actuelles... d'appeler qui que ce soit « un petit bonhomme » ?

– Mais il est *réellement* de petite taille, rétorqua la Reine. M. Spiggy est encore plus petit que moi et c'est un poseur de moquette. Je lui dis de venir ?

– Mon Dieu, ces tapis sont d'une valeur inestimable. Ce serait un acte... euh... voyons... de pur vandalisme.

William et Harry surgirent en haut des escaliers. Ils portaient leur pyjama et des chaussons Bart Simpson.

– On dort sur un matelas ! claironna Harry.

– Et dans des sacs de couchage ! ajouta William, tout faraud. Papa dit que nous vivons une aventure...

Diana entraîna la Reine pour un tour du propriétaire. La visite fut brève. Le précédent occupant n'avait apparemment jamais entendu parler de Terence Conran. Diana réprima un frisson devant les motifs pourpre et turquoise du papier peint recouvrant les murs de la chambre conjugale, les poutres en polystyrène au plafond, les éclaboussures de peinture orange sur les vitres de la fenêtre. Elle décida d'appeler *Maison et Jardin*, le lendemain à la première heure, pour prier le rédacteur en chef de lui apporter des échantillons de peinture et de papier peint.

La Reine dit :

– Nous avons de la chance, la nôtre a été complètement redécorée.

Les deux femmes redoutaient la nuit à venir. Aucune des deux n'avait jamais partagé un lit ou même une chambre avec son mari.

Allongés sur le dos, les deux petits garçons contemplaient avec ravissement les motifs Superman sur le papier de leur propre chambre.

— Regarde, dit William, en désignant une tache d'humidité au-dessus de la fenêtre, la planète Krypton.

Mais Harry s'était endormi, une main pendant hors du matelas sur les lattes du parquet crasseux.

Spiggy siffla la dernière de ses canettes de bière en inspectant son travail. Les tapis resplendissaient sous la lumière crue de l'ampoule. La Reine ramassa les chutes et les enferma dans le placard, en prévision du retour à Buckingham Palace. Cette situation absurde ne saurait s'éterniser. C'était un hoquet de l'histoire. M. Barker n'allait pas tarder à créer un superbe gâchis et la populace s'empresserait de réclamer à grands cris le retour d'un gouvernement conservateur et de la monarchie, n'est-ce pas ? C'était évident. Les Anglais étaient célèbres pour leur tolérance, leur sens du *fair play*. L'extrémisme, de quelque bord qu'il soit, n'était simplement pas dans leur nature. La Reine distinguait bien, dans sa réflexion, les Anglais des Ecossais, des Irlandais et des Gallois, que leur sang celtique conduisait parfois à avoir la tête près du bonnet.

— Ça fera cinq cents balles, Vot' Majesté, dit Spiggy. Comme qui dirait, on est passé minuit.

La Reine ouvrit son sac et se mit en devoir de compter les billets. Elle procédait avec lenteur car elle n'avait pas l'habitude de manipuler de l'argent.

— Ça baigne. Bon, je file chez le prince Charles, maintenant. Il est pas déjà au pieu, non ?

Il était quatre heures du matin lorsque Spiggy franchit la barrière, riche de quelques centaines de livres et d'une sacrée histoire à raconter aux copains du pub. Il aurait du mal à attendre le soir.

Sur le coup de quatre heures et demie, Tony Threadgold, installé sur le seuil du 9, raccourcissait à la scie un canapé qui avait autrefois appartenu à Napoléon. Personne, dans la Cité, n'aurait eu l'idée de se plaindre du vacarme. Le tapage était considéré comme normal. De nuit comme de jour. C'est plutôt l'absence de bruit qui poussait les habitants inquiets aux portes et aux fenêtres. Tony était venu à bout du sofa, qui s'écroula en deux parties inégales. Bev saisit la plus courte d'une main ferme et la transporta à l'intérieur après que son mari et Philip eurent traîné l'autre dans la maison.

– Une demi-douzaine de bon clous là-d'dans, d'main matin, et y s'ra comme neuf.

Tony était satisfait de ses talents de menuisier. La Reine contempla son canapé favori et réalisa que, même sérieusement raccourci, il était encore trop long pour la pièce.

– Vous vous êtes montrés tellement aimables, monsieur et madame Threadgold, mais, maintenant, j'*exige* que vous alliez vous coucher...

– Ça fait joli, constata Bev en regardant autour d'elle, un peu tassé mais joli.

– Et quand les tableaux seront accrochés...

La Reine ne put s'empêcher de bâiller.

– J'aime beaucoup çui-là, dit Bev qui avait surpris le bâillement, c'est de qui?

– Le Titien, répondit la Reine. Bonne nuit.

Au moment de se déshabiller et de procéder à leur toilette, la Reine et le prince Philip se sentirent plutôt embarrassés. Les meubles empilés remplissant à peu près tout l'espace, ils ne cessaient de se heurter l'un à l'autre et de se présenter mutuellement des excuses. Allongés sur leur lit, dans la pâle lueur de l'aube, tous deux songeaient aux horreurs de la journée précédente et à celles qui s'annonçaient. Du dehors parvinrent les cris d'un laitier qu'un habitant de Hell Close venait de dépouiller. La Reine se tourna vers son mari. C'était encore un bel homme, pensa-t-elle.

7

Le Yeoman[1] du Plat d'Argent dévisageait Jack Barker, le nouveau Premier ministre.

Très mignon, pensait-il. Plus petit qu'il ne le paraissait à la télé, mais très, très mignon. Le costume pas terrible et les chaussures franchement ringardes, mais une jolie architecture de visage et des yeux adorables : violets, avec de longs cils recourbés. Miam, Miam.

Il était neuf heures. Dans l'ascenseur qui les conduisait dans l'ancien abri antiaérien situé au sous-sol de Buckingham, Jack réprima un bâillement. Il avait passé la nuit à faire ses comptes.

– Vous devez être content de retirer ces fringues ridicules pour dormir, non ? suggéra-t-il en contemplant les guêtres à boucles et la jaquette à brandebourgs et autres attaches compliquées.

– Oh, un peu de chatoiement n'est pas pour me déplaire, répondit le Yeoman en extirpant une clé de sa poche.

L'ascenseur s'immobilisa.

– Nous allons à quelle profondeur ? le questionna Jack.

– Quinze mètres, mais nous n'y sommes pas encore.

Ils sortirent de la cabine s'engagèrent dans un couloir en forme de U.

– Quel est votre nom ? lui demanda Jack.

– Officiellement, je suis le Yeoman du Plat d'Argent.

---

1. Nom donné aux gardes du corps du souverain. Ils portent, depuis le quinzième siècle, le célèbre habit rouge des *beefeaters*.

– Et officieusement?

– Malcolm Bultitude Bostock.

– Ça fait longtemps que vous travaillez ici, monsieur Bostock?

– Depuis que j'ai quitté l'école, monsieur Barker.

– Et le job vous plaît?

– Certainement. J'aime les belles choses. La lumière du jour me manque un peu pendant l'été, mais j'ai une rampe UV à la maison.

Ils avaient atteint la porte en acier, épaisse de trente-cinq centimètres et protégée par un système compliqué de serrures. M. Bostock introduisit la clé et, après une longue série de déclics, la porte finit par s'ouvrir.

– Une minute! dit-il.

Il alluma les lumières. Ils se trouvaient dans un espace grand comme un terrain de football, partagé en une série de pièces sans porte. Chaque pièce était elle-même divisée en rayonnages recouverts de larges feuilles en plastique rigide.

– Vous désirez voir quelque chose en particulier, monsieur Barker?

– Je veux tout voir.

– La majeure partie des collections est à Sandringham, bien entendu, dit Bostock.

Il souleva l'une des feuilles de plastique, révélant un ensemble de petits animaux délicieusement sculptés. Jack saisit un chat en pierre précieuse.

– C'est joli.

– Fabergé.

– A votre avis, ça vaut dans les combien? demanda Jack en désignant la ménagerie scintillante.

– Il m'est quasiment impossible de l'évaluer, monsieur Barker, répondit Bostock en replaçant le chat à sa place.

– Allez, à peu près?...

– Eh bien, j'ai lu dans le journal, l'an dernier, qu'une tortue de Fabergé avait atteint deux cent cinquante mille livres en vente publique.

Jack regarda de nouveau les petites bêtes et se mit à les compter, haletant.

– Il y en a quatre cent onze, précisa Bostock.

– De quoi construire un hôpital, marmonna Jack.

– Plusieurs hôpitaux, corrigea Bostock, offensé.

Ils poursuivirent la visite. Jack n'en revenait pas de l'état de négligence dans lequel était laissé ce trésor.

– Seigneur, on pourrait peut-être un peu ranger par ici, remarqua Bostock en ramassant une poignée d'émeraudes tombées de leur boîte en plastique. Il faut pas moins de quatre costauds pour soulever ce machin, ajouta-t-il en désignant une soupière en argent. Sans compter que l'or, c'est vraiment la barbe à nettoyer…

Ce disant, il souleva un rideau de plastique derrière lequel s'élevait une véritable tour composée de plats, d'assiettes et de bols. Tout en or.

– De l'or véritable ? chuchota Jack.

– Dix-huit carats.

Jack se souvint que l'alliance en or dix-huit carats de sa femme lui avait coûté cent quinze livres, dix ans auparavant. Et encore, elle avait un trou au milieu.

– Quelqu'un descend ici de temps en temps ? demanda-t-il.

– *Elle* vient. Environ deux fois par an. Mais c'est plus pour se dégourdir les jambes, si j'ose dire. Cela ne l'impressionne pas du tout. La dernière fois, elle a demandé si on ne pouvait pas baisser le chauffage. Elle a horreur du gaspillage.

– Ouais, maintenant, je comprends pourquoi elle devait faire attention, ricana Jack en pianotant sur le fourreau d'une épée, cadeau d'un prince arabe à la reine Victoria.

Il avait renoncé à s'enquérir de la valeur du trésor. Les sommes n'avaient pas de sens et M. Bostock éprouvait apparemment la plus grande répugnance à parler argent.

– Et vous dites que ceci n'est qu'une partie de la collection ? demanda-t-il, la visite terminée.

– La partie émergée de l'iceberg.

En remontant vers la lumière du jour, le chant des oiseaux et le vrombissement de la circulation, Jack remercia M. Bostock.

— Y a des types, des étrangers, qui viendront visiter cette semaine. Je vous tiendrai au courant.

— Puis-je savoir quel genre d'étrangers ? demanda M. Bostock en tournant son visage vers la lumière du soleil.

— Des Japonais, dit Jack Barker.

— M'est-il également permis de savoir si je conserverai ma situation actuelle, monsieur Barker ?

Jack répéta l'un des slogans de sa campagne : *Un travail pour tous et tous au travail dans la Grande-Bretagne de Barker.*

Ils traversèrent la pelouse encore humide de rosée en discutant protocole japonais : quel degré précis d'inclinaison du buste était convenable pour un Yeoman du Plat d'Argent, face à des visiteurs qui se présentent non pour offrir des présents mais pour les acheter.

8

Elle fut réveillée par le froid et aussitôt envahie par un
sentiment de misère, avant de récupérer peu à peu ses forces
physiques et morales. Harris grattait à la porte de la chambre,
pressé de sortir. La Reine enfila un cardigan en cachemire
par-dessus sa chemise de nuit, descendit les escaliers et
ouvrit la porte donnant sur le jardin situé à l'arrière. L'air
du mois d'avril était vif et, tout en contemplant Harris qui
levait la patte sur l'herbe recouverte de gelée, elle pouvait
voir son propre souffle transformé en petit nuage blanc. Un
monceau de vieilles boîtes de peinture envahissait le jardin.
Quelqu'un avait tenté de les faire brûler puis, découragé,
avait tout laissé en plan. La Reine héla son chien, mais ce
dernier avait envie d'explorer son nouveau territoire ; il
trotta sur ses ridicules petites pattes jusqu'au bout du jardin
et disparut dans la brume.

Lorsqu'il réapparut, il portait un rat mort dans la gueule.
L'animal était gelé dans une attitude d'extrême agonie. La
Reine dut frapper un coup sec sur la tête de Harris avec une
cuillère en bois avant qu'il accepte de lâcher sa proie. Elle
avait eu l'occasion de goûter du rat lors d'un banquet à
Belize. Refuser aurait été perçu comme une offense considérable et la RAF était très désireuse de conserver Belize
comme base de ravitaillement pour ses appareils.

— 'lut. Bien dormi ?

Beverley, en robe de chambre orange, ramassait sur le fil
son linge raidi par le gel. Les jeans de Tony se tenaient de
telle façon que l'on aurait cru ses jambes encore à l'intérieur.

– Il est convoqué pour un boulot c't'aprème. Y a intérêt à c'qu'y mette ses meilleures fringues…

Beverley sentait battre son cœur. Comment s'adressait-on à une personne dont on avait l'habitude de lécher et de coller la tête sur une enveloppe ? Elle décrocha la plus belle veste de Tony. La gelée la maintenait les bras levés dans une attitude de triomphe.

– Harris a trouvé un rat, annonça la Reine.

– C'est quoi, un *hhrââ* ?

– Un rat, r-a-t, regardez ! (Beverley jeta un regard sur le rongeur gisant aux pieds de la Reine.) A quoi d'autre dois-je m'attendre ?

– Z'en faites pas, dit Beverley, z'entrent pas dans les maisons. Enfin, pas souvent. Z'ont leur lotissement à eux, au bout des jardins.

A l'entendre, on aurait cru qu'elle parlait des habitants d'un village de vacances qui s'ébattaient autour d'une piscine en forme de haricot en échangeant des ragots au-dessus de leurs chaises longues.

Quelqu'un frappait à la porte d'entrée. La Reine prit congé et traversa la maison. Elle enfila un manteau par-dessus sa chemise de nuit et son cardigan et essaya d'ouvrir la porte, ce qui s'avéra fort difficile. Au vrai, il y avait des années qu'elle n'avait pas ouvert elle-même une porte mais, tout de même, l'opération devait être plus simple que ça, non ? Elle poussa de toutes ses forces. La personne qui se tenait de l'autre côté avait soulevé le clapet de la boîte aux lettres et la regardait à travers. La Reine aperçut deux yeux bruns expressifs et entendit une voix féminine compatissante.

– Bonjour, je suis Trish McPherson, votre assistante sociale. Ecoutez, je me doute que ce n'est pas facile pour vous, mais ça n'arrangera en rien les choses si vous m'empêchez d'entrer, n'est-ce pas ?

La Reine eut un mouvement de recul en entendant « assistante sociale » et elle s'éloigna de la porte. Trish se souvint de ses stages de formation. Il était très important d'éviter l'affrontement direct. Elle fit une deuxième tentative :

– Allons, allons, madame Windsor, ouvrez la porte et nous aurons une gentille petite conversation. Je suis ici pour vous aider à surmonter votre traumatisme. Nous ferons bouillir de l'eau pour nous préparer calmement une bonne tasse de thé bien chaud…

La Reine dit :

– Je ne suis pas habillée. Je ne peux recevoir tant que je ne suis pas habillée.

Trish éclata d'un rire joyeux.

– Ne vous en faites pas pour moi. Je prends les gens comme je les trouve. La plupart sont encore au lit quand j'arrive…

Trish était une personne aimable, convaincue que tous ses clients étaient bons, profondément bons. Elle se sentait vraiment désolée pour la Reine. Ses collègues avaient refusé de se charger du cas Windsor, mais, comme elle l'avait fait remarquer le matin même au bureau des admissions du service : « Tout royaux qu'ils soient, il s'agit quand même d'êtres humains. Je les considère comme des personnes déplacées qui ont particulièrement besoin d'être prises en charge. »

Pour ne pas brusquer sa cliente, Trish se retira après avoir glissé sous la porte un mot rédigé sur le papier à en-tête du service social : *Je repasserai vers quinze heures cet après-midi. Cordialement. Trish.*

Elizabeth grimpa les escaliers, gratta le givre à l'intérieur de la vitre et observa Trish qui, en bas, grattait elle-même le givre sur son pare-brise avec le genre de spatule de cuisine que la Reine utilisait à l'occasion, lors des barbecues à Balmoral. Trish portait des vêtements de style aztèque qui la faisaient ressembler à une figurante de l'un de ces films consacrés à l'Amérique précolombienne, *Les Adorateurs du Soleil*, ou quelque chose comme ça. Ses pieds étaient chaussés de morceaux de fourrure ayant appartenu à une chèvre à poils longs. Elle s'assit dans sa voiture et jeta quelques notes sur un papier : *Client récalcitrant. Pas encore habillé à dix heures du matin.*

La Reine écouta s'éloigner la voiture et elle se rendit près de son mari, qui dormait profondément, allongé sur le dos. Une goutte pendait à l'extrémité de son nez taillé à la serpe. Elle sortit un mouchoir de son sac et essuya le nez de Philip. Elle ne savait par quel bout prendre sa journée : se laver, s'habiller et se coiffer lui parurent autant de tâches insurmontables. Je suis incapable d'ouvrir ma propre porte, se dit-elle. Elle était sûre d'une seule chose, elle ne serait certainement pas à la maison à quinze heures.

Comme il n'y avait pas d'eau chaude dans la salle de bains glacée, elle fit sa toilette à l'eau froide. Ses cheveux étaient impossibles à coiffer. Sa dernière mise en plis était loin. Elle fit de son mieux et finit par nouer une écharpe sur sa tête, à la bohémienne. Comme il était étrange de s'habiller soi-même ! Les boutons se montraient particulièrement délicats à manier. Pourquoi les fermetures Eclair se coinçaient-elles aussi aisément ? Comment s'y prenait-on pour assortir ses vêtements ? Elle se souvint des couloirs entiers bordés de placards dans lesquels les robes et les manteaux étaient suspendus par styles et couleurs. Les doigts habiles de son habilleuse lui faisaient défaut pour accrocher son soutien-gorge, un dispositif totalement ridicule. Comment se débrouillaient les autres femmes avec les agrafes et les brides ? A moins d'être contorsionniste, impossible d'accrocher l'une à l'autre sans une aide extérieure.

Lorsqu'elle eut terminé de s'habiller, la Reine ressentit une impression extraordinaire de réussite pleine et complète. Elle éprouvait le besoin d'en avertir quelqu'un, comme le jour où elle avait lacé seule ses chaussures pour la première fois. Crawfie s'était montrée très satisfaite. « Quelle intelligente petite fille nous avons là. Elle n'aura jamais à le faire elle-même, bien sûr. Mais c'est toujours bon de savoir, un peu comme les tables de logarithmes. »

La seule source de chaleur dans toute la maison était le chauffage au gaz dans le living-room. Beverley l'avait allumé la nuit dernière mais, maintenant, la Reine était déconcertée. Elle tourna la poignée à fond, approcha une

allumette mais rien ne se produisit. Il lui tardait de chauffer
au moins une pièce avant le réveil de Philip car elle avait
l'intention (mais peut-être se montrait-elle trop ambitieuse)
de préparer le petit déjeuner : du thé et des toasts. Elle
s'imaginait assise avec le prince, au coin du chauffage à
gaz, élaborant des projets pour leur nouvelle vie. Elle avait
toujours été obligée de ménager Philip. Ce dernier ressentait comme une contrainte insupportable l'obligation de se
tenir en permanence un pas derrière elle. Il n'était pas du
genre à jouer les seconds violons. Il constituait plutôt un
orchestre en fureur à lui tout seul.

Harris fit son entrée au moment où elle craquait sa dernière allumette. En vain. Elle avait froid, elle avait faim, et
personne, à part elle-même, ne lui donnerait à manger. Elle
était partagée entre le problème du feu et les soins à Harris.
Il y a tant à faire, pensa-t-elle. Tant de tâches différentes.
Mais comment s'y prenaient donc les gens *ordinaires* ?

— Le secret réside en une pièce de cinquante cents placée
dans la fente, annonça le prince Charles.

Il avait réussi à pénétrer dans la maison en passant par la
fenêtre du living-room. Il ouvrit le placard contenant le
compteur et désigna la fente en métal.

— Mais je n'ai pas de pièce de cinquante cents ! se récria
la Reine.

— Moi non plus. Papa en aurait-il une ?

— Et pour quelle raison, Seigneur ?

— Juste. Peut-être William, dans sa tirelire… Faut-il…
euh… que j'aille… euh…

— Oui. Et dis-lui que je le rembourserai.

La Reine était sidérée des changements qui s'opéraient
chez son fils. Ce dernier commença d'escalader la fenêtre
puis revint en arrière.

— Maman ?

— Oui, chéri ?

— Une assistante sociale est venue ce matin.

— Trish McPherson ?

– C'est cela. Elle s'est montrée terriblement aimable. Elle m'a dit que je pourrai me faire recoller les oreilles sur le compte de la sécurité sociale. Elle m'a dit aussi que j'avais subi des traumatismes psychologiques et... euh... il me semble que, enfin, elle a l'air... euh... très bien. Diana se demande si elle n'en profitera pas pour refaire son nez. Elle a toujours détesté le sien.

Charles franchit d'un bond l'appui de la fenêtre. La Reine ne put s'empêcher de remarquer combien il semblait heureux, en ce jour qui aurait dû être le plus affreux de son existence.

Là-haut, le prince Philip s'agitait. Une chose désagréable pendait au bout de son nez.

– Passez-moi un mouchoir, et vite ! ordonna-t-il en direction d'un serviteur absent.

Au bout de quelques secondes, la mémoire lui revint. Il jeta un regard désespéré autour de lui et capitula devant les circonstances en mouchant son nez dans le drap du lit. Puis il se tourna sur le côté et se rendormit. Il préférait le royal univers des rêves à l'hideuse réalité : celle d'un roturier dans une maison non chauffée.

La Reine déballa la boîte en carton étiquetée NOURRITURE. A l'intérieur, elle trouva un paquet de pain coupé en tranches, une demi-livre de beurre d'anchois, un pot de confiture de fraises, et différentes boîtes : corned-beef, soupe à la tomate Heinz, pâté, purée de pommes de terre, pois cuisinés à la moelle, oreillons de pêche au sirop, un paquet de biscuits, des tartelettes aux abricots ; Nescafé, thé Typhoo en sachets, lait longue conservation, sucre en poudre, corn flakes, sel, ketchup, maïzena, fromage reconstitué en tranches, six œufs (probablement pondus par des poules élevées en batterie car rien sur la boîte ne mentionnait qu'elles eussent picoré dans une cour de ferme).

Harris jeta un regard vorace sur les boîtes, mais la Reine lui annonça :

– Rien pour toi, mon vieux.

Elle saisit la boîte de corned-beef. Cela ressemble pourtant à de la nourriture pour chiens, se dit-elle, mais comment y *accéder* ?

Elle lut le mode d'emploi. On y faisait allusion à une clé. Elle se trouvait bien dans une encoche le long de la boîte, telle une sentinelle dans sa guérite. Bon, maintenant qu'elle l'avait localisée, qu'en faire ? Harris aboyait avec irritation en direction de sa maîtresse qui bataillait avec la boîte, essayant d'introduire la clé dans une autre encoche sise à la base.

– S'il te plaît, Harris, sois patient, je fais de mon mieux. J'ai faim et froid et tu ne m'es d'aucune utilité…

Elle pensa (mais le garda pour elle) : Et mon mari, là-haut, dans son lit, il ne m'aide pas vraiment non plus…

Elle finit par tourner la clé et Harris se mit à sauter autour d'elle dès qu'il sentit l'odeur rance qui s'échappait de la boîte. Ses aboiements devinrent frénétiques et la Reine, dont la tolérance au bruit des chiens était pourtant légendaire, perdit patience et lui donna une tape sur le nez. Harris se retrancha sombrement sous l'évier. Après une bagarre épique, Elizabeth parvint à détacher le fond. Elle apercevait le bloc rose piqueté de blanc, mais elle avait beau le secouer dans tous les sens, elle ne parvenait pas à le faire sortir. Peut-être qu'en essayant d'agripper la viande avec ses doigts… ?

Charles refit une entrée par la fenêtre, brandissant comme un trophée la pièce de cinquante cents. Il trouva sa mère appuyée contre un secrétaire dos-d'âne signé William Gates qui servait désormais de table. Une tache de sang était répandue sur la superbe laque. Par terre, Harris attaquait une boîte de conserve en poussant des grognements d'animal primitif. Du haut des escaliers, on entendait les cris terrorisants de son père en proie à une crise de rage. Charles avait appris à surmonter ses terreurs paternelles avec l'aide d'un psychothérapeute comportementaliste. Par conséquent, il chercha à échapper aux obscénités émises par son père en tentant de dater le secrétaire.

– 1781, dit-il. Une commande du roi George IV.

– Très bien deviné, chéri, mais je crois que je suis en train de me vider de mon sang. Peux-tu appeler mon médecin personnel ?

Elle retira l'écharpe de sa tête et en enveloppa ses doigts sanglants. Philip apparut au sommet des escaliers, frissonnant dans une robe de chambre en soie.

Au Royal Hospital, ils attendirent plus de quatre heures avant que la Reine ne fût examinée par un médecin. Par suite du brouillard, de nombreux carambolages s'étaient produits sur l'autoroute et leurs victimes encombraient le service des urgences.

Charles, la Reine et un policier en civil mais portant une arme quittaient juste Hell Close au moment même où le camion de la princesse Margaret y faisait son entrée. Apercevant dans la voiture de police sa sœur, les yeux fermés, sa veste de cachemire tachée de sang, Margaret piqua sur-le-champ une crise d'hystérie et hurla : « Ils vont nous tuer tous ! »

Le chauffeur tourna vers elle des yeux meurtriers. Après trois heures passées en sa compagnie, il l'aurait volontiers collée contre un mur, un bandeau autour des yeux et une balle en plein cœur. Il lui aurait même refusé une dernière cigarette.

Pendant tout l'après-midi, Charles et sa mère restèrent assis dans un box du Royal Hospital, derrière un léger rideau qui n'étouffait pas les bruits insupportables de la souffrance humaine. Ils eurent droit aux douleurs, aux agonies et aux rires incoercibles de jeunes aides soignantes qui tentaient d'ôter un vieux préservatif flétri adhérant au pénis d'un homme entre deux âges. La Reine elle-même faillit éclater de rire en entendant l'épouse de la victime s'exclamer : « Je savais bien qu'il y avait une autre femme. »

Mais elle ne se laissa pas aller à rire, cependant. Elle prit au contraire un air renfrogné. Crawfie lui avait enseigné à contrôler ses émotions, et la Reine lui en était reconnaissante. Sans ces sages conseils, comment aurait-elle été capable de supporter ces interminables discours de bienvenue, dans des langues qu'elle ne comprenait même pas, sachant qu'elle aurait aussi à subir la traduction en anglais, puis à se tenir debout en débitant ses propres banalités et à passer les troupes en revue, alors que chaque individu, mâle ou femelle, ne rêvait qu'à une seule chose, qu'elle s'adresse à *lui* ! Et pour lui dire quoi ? « D'où êtes vous ? Depuis combien de temps êtes-vous dans l'armée ? » Une fois, alors qu'elle demandait : « Aimez-vous la marine ? » à un jeune matelot de dix-huit ans, ce dernier avait répondu instantanément : « Non, Majesté. » Son visage s'était fermé et elle s'était éloignée, mais elle aurait voulu lui sourire et le remercier de son honnêteté si inattendue.

— Je suis désolé de vous avoir fait attendre, madame Windsor. Je suis le docteur Amimba.

Le médecin avait beau être prévenu, il sentit monter sa tension artérielle au moment de prendre la main blessée de la Reine dans la sienne. Avec tendresse, il défit le pansement ensanglanté et examina les profondes coupures au pouce et à deux doigts.

— Vous vous êtes fait ça comment, Maj… madame Windsor ?

— Avec une boîte de corned-beef.

— C'est très fréquent. Il devrait y avoir une loi contre ces boîtes, on devrait les retirer du marché.

Le docteur Amimba était un jeune homme extrêmement sérieux qui pensait que le législateur était capable de soigner la plupart des malaises sociaux.

Charles dit :

— Docteur, ma mère a attendu presque cinq heures avant de recevoir des soins médicaux.

— Oui, c'est normal, dit le docteur Amimba en se relevant.

– Normal ?

– Eh oui. Votre mère a de la chance de ne pas avoir choisi un samedi soir pour déguster son corned-beef. Les samedis soir, nous sommes débordés. Maintenant, je dois partir. Une infirmière va venir bientôt.

Il sortit dans un frissonnement de rideau. La Reine se rejeta en arrière sur le chariot et serra très fort ses paupières afin d'empêcher ses larmes de couler. Garder le *contrôle d'elle-même*, à tout prix.

Charles dit :

– C'est un autre monde.

– Pour le moins, un autre pays, ajouta la Reine.

Dans le box voisin, ils entendaient le docteur Amimba, aux prises avec le préservatif récalcitrant. Il détacha vigoureusement le morceau de caoutchouc de la chair avant de constater : « Il devrait y avoir une loi. »

Rouge et embarrassé, Charles changea de sujet :

– J'étais supposé inaugurer le nouvel hôpital de Taunton, demain.

La Reine soupira :

– J'espère que la population de Taunton saura se passer de toi.

Ils attendirent en silence l'infirmière annoncée. La Reine avait fini par s'endormir. Le prince Charles contempla sa mère, ses cheveux défaits, sa veste tachée de sang. Il prit sa main valide dans la sienne et fit le vœu de prendre soin d'elle.

9

Ce jour-là, le minuscule séjour de Diana était plein de monde, des femmes uniquement. Certaines avaient apporté leur livre d'autographes. La pièce empestait le parfum bon marché, *made in Hong Kong*. Violet Toby, l'une des plus proches voisines de Diana, était en train de lui narrer par le menu l'histoire de sa vie. Les autres femmes s'agitaient en fumant et en tirant sur leurs jupes. Elles connaissaient l'histoire par cœur.

— Alors, quand j'ai vu la lettre, j'ai *pigé* tout de suite. Y se ramène du boulot et qui c'est c'te salope d'*Yvonne*, que j'y ai demandé. Blanc comme un linge, il était. Alors j'y ai dit, allez tu dégages. Bon ça, c'était pour le numéro deux.

Diana s'empressa de relancer la conversation, comme on le lui avait enseigné :

— Et vous vous êtes remariée ?

Violet, qui n'avait nul besoin d'être relancée, éclata de rire.

— J'en suis à mon cinquième... (Les autres femmes s'esclaffèrent.) Cinq maris, onze enfants, quinze petits-enfants, et y a un type, à la British Legion[1], j'l'ai dans l'collimateur...

Violet se tartina la bouche d'un rouge à lèvres écarlate en se regardant dans le miroir collé sur le rabat intérieur de son sac en faux serpent.

---

1. Organisation charitable destinée aux ex-membres des forces armées.

– T'es quand même un sacré numéro, Violet, s'écria Mandy Carter, l'autre voisine de Diana, dont le prince William avait écrasé la barrière, la nuit précédente.

Mandy berçait son dernier bébé, Shadow, sur son épaule. Diana réprima un frisson à la vue des vêtements de Mandy. Des jeans en stretch avec des chaussures blanches à talons aiguilles. Berk. Et cette masse de cheveux jaunes filasses, comme un paillasson… C'était d'un nul. Pour ne rien dire des deux seins blanchâtres qui débordaient d'un bustier en acrylique rose : super-vulgaire.

– Ça fait des plombes que vot' mari et sa mère sont partis, fit remarquer Violet.

– Oui, opina Diana. L'hôpital est-il loin d'ici ?

– A trois kilomètres, répondit une jeune femme avec une araignée tatouée dans le cou.

– J'ai fait le poireau six heures, la dernière fois que Clive m'a démoli la gueule, déclara Mandy.

– Seigneur, fit Diana, qui est Clive ?

– Le père, rétorqua Mandy d'un air sombre, en désignant Shadow. J'pouvais pus bouffer, pus fumer, même pus boire.

– Ça t'a pourtant pas coincé ta putain d'gueule, fit remarquer Violet, j't'entendais assez brailler, et j'reste pourtant à deux portes…

Diana rougit. Dieu sait qu'elle n'était pas prude, mais elle avait horreur de la vulgarité chez une femme. Par la fenêtre, elle aperçut l'inspecteur Holyland qui passait le long de la haie de troènes dégoulinante d'eau. Il jeta un regard torve sur le séjour bondé. Les femmes se mirent à pousser des cris d'oiseaux et celle qui arborait un tatouage siffla comme pour appeler un taxi à Londres.

Holyland remontait la petite allée. Diana se fraya un passage dans l'assistance féminine et gagna la porte. L'inspecteur Holyland toussa pour gagner du temps. Il avait oublié comment il était supposé s'adresser à l'occupante des lieux. Madame Windsor ? Madame Spencer ? Madame Charles ?

Diana attendit que l'inspecteur fût remis de sa quinte de toux. A la fin, il postillonna en désignant l'assemblée :

– Elles ne devraient pas se trouver ici. Vous n'avez pas droit à une attention spéciale. (Il était de nouveau maître de lui.) Par conséquent, je suis dans l'obligation de vous demander de les prier de partir, madame.

– Mais c'est impossible, ce serait un total manque d'éducation !

Un hourra ébranla le séjour et Violet fit irruption, les mains dans les poches de son blouson d'aviateur en satin, arborant une expression impérieuse sur son visage ridé :

– On est pas en train d'lui donner une attention spéciale. On est des voisines et on vient voir si elle a pas besoin de quéque chose.

– Ah oui ? ricana Holyland. Et vous agissez de même avec tout le monde, bien évidemment ?

– Ben ouais, c'est justement c'qu'on fait, dit Violet avec un accent de sincérité. On se serre les coudes, dans Hell Close… (Elle se tourna vers Diana.) Alors, on s'y met à ces placards ?

Holyland tourna les talons. Selon ses renseignements, Violet, son mari Wilf et sept de ses enfants adultes n'avaient pas payé la taxe d'habitation de l'année en cours. En réalité, ils n'avaient pas encore réglé la taxe de l'année précédente. Il aurait sa revanche.

A cet instant, Diana aperçut la silhouette de la princesse Margaret qui courait au milieu de la rue en faisant claquer ses hauts talons, manteau de fourrure au vent, chignon défait. Elle courut à la barrière et agrippa un jeune policier. L'inspecteur Holyland dit quelques mots dans sa radio et, quelques secondes plus tard, une sirène retentit et la rue fut inondée d'une lumière aveuglante.

– Nom de Dieu, s'écria Violet, on s'croirait dans *Deux flics à Miami*…

– C'est Margot qui essaie de briser le couvre-feu, dit Diana depuis le seuil de la porte.

L'inspecteur Holyland en personne raccompagna Margaret jusque chez elle.

On pouvait l'entendre protester : « Mais je *dois* aller chez

Marks and Spencer avant la fermeture, je ne sais pas faire la cuisine ! »

Diana ferma la porte et revint vers le groupe de ses voisines. Elle avait hâte de secouer sa batterie de cuisine, comme l'ordonnait Bill Haley dans *Shake Rattle and Roll*, un super tube des années 50. Ce soir, elle emprunterait une poêle à Violet et elle préparerait des œufs, des frites et des haricots pour toute la famille. Charles n'aurait qu'à oublier ses principes diététiques jusqu'à ce qu'elle soit en mesure de se procurer des légumes. Elle se demanda si elle pourrait aussi demander à Violet une boîte de lentilles.

Pendant que les femmes s'activaient, Mandy demanda :

— Qu'est-ce qui vous manque le plus ?

Diana répondit du tac au tac :

— Ma Merc'.

— Merc' ?

— Ma Mercedes-Benz 500 L. Elle est rouge métallisé et fait du 57 miles à l'heure.

— Ça doit coûter un max… fit Mandy.

— Oh, environ soixante-dix mille livres, avoua Diana.

Le silence s'abattit sur la pièce. Pas longtemps :

— Combien, combien ? caqueta Violet, qui n'avait pas bien ajusté son sonotone rose.

— Soixante-dix mille, beugla Philomena Toussaint, la seule femme de couleur présente.

Le silence se rétablit, encore plus épais.

— Pour une bagnole ?…

Le menton de Violet tremblait d'indignation. Diana baissa les yeux. Elle ignorait encore que les femmes qui nettoyaient sa cuisine avaient acheté ces vêtements qui lui déplaisaient tant dans des ventes de charité. Violet s'était procuré, pour vingt-cinq cents, son soutien-gorge, taille 115 DD, dans une braderie au bénéfice des personnes du troisième âge.

— Et qui c'est qui l'a payée, c'te caisse ?

— Le duché de Cornouailles.

— C'est qui ça ?

— En réalité, c'est mon mari…

Mandy changea de conversation :

— Moi, ce qui me manquerait, c'est la bonne d'enfants.

Cette réflexion rappela à Diana qu'elle n'avait pas vu William ni Harry depuis l'arrivée des visiteuses. Elle cria leurs noms en direction du premier étage. Pas de réponse. Elle inspecta le triste petit jardin, elle n'y vit que Harris, occupé à se gagner les bonnes grâces d'un bâtard appartenant à Mandy Carter. Les deux chiens se tournaient autour. Le petit et le gros, le roturier et l'aristocrate. Le bâtard se nommait King. Diana se précipita à l'extérieur, en criant : « William, Harry ! » Il faisait presque nuit. Des ampoules électriques s'allumaient çà et là. Hell Close se préparait pour la nuit.

— Les garçons ne sont jamais restés si tard dehors, expliqua Diana.

Les femmes rirent à cette nouvelle preuve de l'existence choyée des enfants. Elles avaient l'habitude d'expédier leurs propres gamins fort tard à l'épicerie tenue par l'Indien pour une course de dernière minute. Ce serait pas la peine d'avoir un chien si on devait aboyer soi-même, non ?

— Ils sont en train de jouer dans un coin, dit Violet sur un ton réconfortant.

Diana n'en fut pas rassurée pour autant. Elle jeta une parka de soie par-dessus ses épaules et, martelant le sol de ses bottes de cow-boy, partit explorer la rue. Elle finit par découvrir les enfants en train de jouer à la bataille navale, au coin du radiateur à gaz, avec leur grand-père. Harry l'aperçut par la fenêtre et lui fit un signe de la main. Le prince Philip était en pyjama et robe de chambre. Il n'était pas rasé et ses cheveux clairsemés pendaient sur ses oreilles. Sur la table d'argent William III, on pouvait voir une boîte de haricots, le couvercle béant.

— Charles a téléphoné, hurla-t-il par la fenêtre. Ils sont toujours à l'hôpital. Impossible de vous faire entrer. La putain de porte d'entrée ne s'ouvre pas. Je n'ai pas la clé de la putain de porte de derrière.

Diana saisit l'allusion et retourna à ses tâches ménagères.

Une fois les placards soigneusement nettoyés, les femmes s'arrêtèrent pour prendre le thé et quelques biscuits.

– Qu'est-ce qui pourrait bien les décourager un bon coup ? demanda Violet.

– Décourager *qui* ? fit Diana.

– Les cafards. On en a toutes. Rien à faire pour s'en débarrasser. On pourrait leur envoyer une fusée Polaris, que les salauds reviendraient au bout de trois jours…

Violet embraya :

– Bon, maintenant, ce qu'il faut faire, c'est tapisser l'intérieur avec du papier avant de ranger la nourriture.

Comme Diana ne possédait aucun papier faisant l'affaire, Violet flanqua un grand coup dans le mur qui séparait les deux livings et hurla :

– Wilf ! Radine-toi avec le canard d'hier.

Diana perçut un grognement en guise de réponse et Wilf Toby fit son apparition à la porte d'entrée. C'était un homme exceptionnellement grand avec d'énormes extrémités, pieds et mains. Le genre d'individu qui, dans un tribunal, est décrit par ses avocats comme « un géant débonnaire ». Seulement, Wilf n'était pas du tout débonnaire. Il souffrait d'une bronchite chronique et ses incessants problèmes respiratoires le rendaient irritable et morose. Il redoutait la mort et vivait chaque jour avec précaution, comme si c'était le dernier. Il pensait que Violet aurait dû lui porter plus d'attention. Il trouvait qu'elle passait plus de temps dans la maison des autres que dans son propre foyer. La respiration haletante de Wilf rassura Diana, elle identifiait désormais ce bruit étrange qui l'avait éveillée et terrifiée la nuit précédente. C'était Wilf, de l'autre côté du mur.

Wilf porta les yeux sur Diana et en tomba sur-le-champ éperdument amoureux. Il n'avait jamais vu de près une femme aussi belle. Il connaissait ses photos, publiées chaque jour dans la presse, mais rien ne l'avait préparé au choc de ce visage lisse, de cette peau soyeuse, de ces timides yeux bleus, de ces lèvres chaudes et humides. Toutes les femmes de sa connaissance possédaient des visages durs et racornis,

comme si la vie les avait martelés sans répit. Comme il tendait le journal à cette créature de rêve, il vit ses mains. De
longs doigts pâles aux ongles rosés. Wilf mourait d'envie
de serrer ces doigts. Etaient-ils aussi doux qu'ils en avaient
l'air ?

Il scruta Violet, sa femme depuis quatre ans. Comment en
était-il arrivé à supporter *ça* ? Comme s'il ne le savait pas :
elle lui avait sauté dessus, oui. Il n'avait pas eu un début de
chance.

— Alors, tu te décides, gros tas. Tu vois pas que tu fais
rentrer le froid ?

Et voilà comment lui parlait sa femme. Pas le moindre
respect.

Diana sourit et dit :

— Donnez-vous la peine d'entrer.

En temps normal, rien n'aurait pu inciter Wilf à pénétrer
dans une maison remplie de femelles du quartier, mais il lui
fallait s'approcher de Diana, écouter sa voix ravissante. Elle
parlait merveilleusement bien, ça c'était sûr.

La présence d'un homme dans la maison subjugua les
femmes. Même Violet modifia le ton de sa voix. Comme
elle dépliait les pages de *News of the World* pour en tapisser
l'intérieur des placards et des tiroirs, Diana aperçut la première page.

LA LIVRE MASSACRÉE

*La livre sterling s'est retrouvée en situation critique, la
nuit dernière, après avoir subi ce qu'un expert financier a
décrit comme « une brutale attaque » de la part des ins-
tances monétaires étrangères. « Ce fut une raclée sauvage », a-t-il ajouté.*

*Ceci fait suite au « coup double » de Jack Barker, la vic-
toire écrasante aux élections de jeudi et l'abolition de la
monarchie, vendredi. Le gouverneur de la Banque d'Angleterre a lancé un appel au calme.*

Piranhas

Un représentant de la Banque de Tokyo à Londres a déclaré hier : « La livre est comparable à un poisson rouge nageant dans un bocal rempli de piranhas. »

Lorsqu'elle eut terminé son travail, Violet le contempla avec orgueil.

— Na, voilà, c'est tout beau et propre maintenant... (Elle se tourna en direction de Wilf.) Je suppose que môssieur veut son thé ? aboya-t-elle.

— Pas faim, répondit Wilf.

Comment serait-il capable de manger, désormais ?

Diana avait très envie de les voir tous partir, mais comment le leur faire savoir ? Soudain, Shadow s'éveilla de son petit somme sur le sofa mauve et ses cris précipitèrent sa mère et toutes les femmes au-dehors.

— Cognez sur le mur si v'z'avez b'soin de quéque chose, ordonna Violet.

— Nuit et jour, ajouta Wilf.

— Vous avez été terriblement gentilles, dit Diana en ouvrant son portefeuille. Combien vous dois-je ?

A l'expression qui se peignit sur le visage de ses voisines, elle sut qu'elle avait commis un considérable *faux pas**.

Lorsque Charles et Elizabeth revinrent au numéro 9, ils constatèrent que Tony Threadgold avait réussi à ouvrir la porte d'entrée à coups de pieds et qu'il était en train d'en raboter les montants.

— C'est l'humidité qui l'a déformée, expliqua-t-il, c'est pour ça qu'alle voulait pas s'ouvrir.

Le prince Philip, William et Harry étaient assis sur les marches d'escalier et contemplaient Tony. Tous les trois mâchaient des sandwichs à la confiture mal fichus. C'est William qui les avait préparés.

* En français dans le texte original.

– Comment ça va, ma vieille ? s'enquit Philip.

– Horriblement fatiguée.

La Reine repoussa ses cheveux défaits de sa main bandée.

– Vous êtes restés sacrément longtemps…

– Ils avaient un travail fou, dit Charles. La blessure de Maman ne mettait pas ses jours en danger, elle a dû attendre.

– Mais Bon Dieu de merde, ta mère est quand même la foutue *reine* ! explosa Philip.

– *Etait* la foutue reine, Philip, annonça posément Elizabeth. Je suis madame Windsor désormais.

– Mountbatten, corrigea brutalement Philip, vous êtes désormais madame Mountbatten.

– Windsor est mon patronyme, Philip, et j'entends bien le garder.

– Mountbatten est *mon* patronyme et vous êtes *ma* femme, par conséquent vous serez désormais madame Mountbatten.

Tony Threadgold rabotait toujours comme un malade. Tout le monde avait oublié sa présence. William demanda à Charles :

– Et *nous*, comme nous appelons-nous maintenant, Papa ?

Charles regarda son père puis sa mère et bredouilla :

– Euh… Diana et moi-même avons déjà… euh… discuté la chose et… euh… Enfin, d'un côté, nous nous sentons attirés par Mountbatten à cause de l'oncle Dickie, mais d'un autre point de vue, nous pensons aussi que… euh…

– Bon Dieu de Bon Dieu, ça va sortir, non ?

Philip devenait méchant.

Il était temps, estima Tony, que la Reine prenne un siège. Elle avait l'air éreintée. Il la saisit par le bras et l'escorta jusqu'au séjour. Le radiateur à gaz était éteint, aussi farfouilla-t-il dans sa poche pour y dénicher une pièce de cinquante cents. Les flammes firent entendre leur bruit caractéristique et la Reine se pencha avec gratitude vers la source de chaleur.

– A mon avis, vot' manman a b'soin d'une bonne tasse de thé, lança Tony en direction de Charles.

Il avait réalisé dès le début que Philip était un cas désespéré sur le plan domestique, le gars n'était même pas capable de s'habiller tout seul.

Quinze minutes plus tard, alors que Tony balayait les copeaux après avoir passé le chambranle de la porte au papier de verre, Charles en était toujours à farfouiller inutilement dans la cuisine, incapable de trouver le thé, le lait et les cuillères. Tony passa chez lui demander à Bev de mettre l'eau à bouillir.

La Reine contemplait les flammes du radiateur à gaz. Elle croyait le conflit Windsor / Mountbatten enterré depuis longtemps mais voilà qu'il surgissait à nouveau. C'était la faute de Louis Mountbatten. Lors du baptême de Charles, cet insupportable snob avait persuadé l'évêque de Carlisle de publier un commentaire selon lequel il n'était pas bon qu'un enfant né dans les liens du mariage soit privé du nom de son père. Ces réflexions d'un obscur ecclésiastique avaient fait la une de tous les journaux. La campagne de Louis Mountbatten en vue de glorifier son nom de famille en l'attachant à celui d'une famille régnante avait commencé. La Reine était déchirée entre les désirs de Louis Mountbatten et de son mari et ceux du roi George V, qui avait fondé la dynastie des Windsor pour l'éternité. Elle ferma les yeux. Louis était mort depuis longtemps mais son influence persistait.

Beverley entra, portant un plateau garni de quatre chopes de thé fumant et de deux verres pleins d'un liquide orange dans lesquels s'agitaient deux grosses pailles. Sur une assiette recouverte d'une serviette en papier, s'étalait un assortiment de biscuits. Charles prit le plateau des mains de Beverley et se mit à hésiter, cherchant autour de lui une place où le déposer. La Reine contemplait son fils avec une irritation grandissante.

– Sur mon bureau, Charles !

Charles déposa le plateau sur le meuble Chippendale, près de la fenêtre. Il tendit à chacun sa tasse ou son verre. Il se sentait intimidé en présence de Beverley. Toute cette

chair le mettait mal à l'aise. L'espace d'une seconde, il
l'imagina nue, drapée dans un voile de gaze, contemplant
sa propre image dans une psyché soutenue par un chérubin.
Une Vénus des années 90. La Reine fit les présentations :

— Voici Mme Beverley Threadgold, Charles.

— Comment allez-vous ? dit Charles en offrant sa main.

Beverley la lui secoua vigoureusement :

— Je vais très bien, merci.

— Mon fils, Charles Windsor, précisa la Reine.

— Mountbatten, corrigea Philip à l'intention de Beverley.
Son nom est Charles Mountbatten. Je suis son père et il por-
tera mon nom.

Charles pensa que le moment était venu de mettre fin à
cet abominable patriarcat. Quel était le nom de jeune fille
de la reine Mary, son arrière-grand-mère ? Teck. Oui, c'était
bien ça. Et pourquoi pas Charlie Teck ?

— Nous discuterons cela plus tard, Philip, l'avertit la
Reine.

— Il n'y a rien à discuter. Je suis le chef de cette famille.
J'ai piétiné pendant quarante ans derrière vous. C'est mon
tour de marcher devant.

— Vous voulez régenter cette maisonnée, Philip ?

— Certainement.

— Dans ces conditions, vous feriez mieux d'aller à la cuisine
vous familiariser avec les différents ingrédients et accessoires
nécessaires à la préparation du thé. Nous ne pouvons nous
reposer sans cesse sur la générosité de Mme Threadgold…

— Je vous apprendrai comment on fait le thé, si vous voulez, dit Beverley. C'est vachement fastoche.

Mais le prince Philip ignora sa généreuse invite. Au lieu
de ça, il se tourna vers Tony et commença à se plaindre :

— Impossible d'avoir de l'eau chaude ; besoin de me raser.
Voyez-ça, voulez-vous ?

Tony se hérissa. Non mais, pensa-t-il, il me parle comme
à son clébard.

— Désolé, dit-il, mais j'emmène ma femme boire un
verre. T'es prête, Bev ?

Beverley était heureuse d'avoir une occasion de se tirer de ce règlement de comptes conjugal.

Tony retourna chez lui en emportant sa boîte à outils. Il avait vécu sur les nerfs toute la journée ; il n'avait pas obtenu le job d'abatteur de poulet à la boucherie musulmane. Il y avait cent quarante-quatre candidats devant lui, hommes et femmes de diverses religions. Beverley resta quelques minutes en arrière pour montrer au prince Philip comment faire chauffer une casserole d'eau afin qu'il puisse se raser. Elle lui expliqua que le manche de la casserole devait toujours être tourné du côté du mur.

– Comme ça, les mômes peuvent pas le choper.

Charles se déplaça jusqu'à la cuisine pour observer gravement la démonstration comme s'il s'agissait d'une danse guerrière Maori. Ses deux fils, les coins de leur bouche tachés d'orange, se glissèrent derrière lui et lui prirent la main. Ils ne se souvenaient pas d'avoir jamais autant vu leur père. Lorsque l'eau se mit à bouillir, Beverley indiqua comment éteindre la plaque.

– Et maintenant, je fais quoi ? gémit Philip.

J'vais quand même pas y raser sa foutue barbe ! pensa Beverley. Elle partit, abandonnant l'ex-famille royale éperdue de gratitude.

– Des vrais bébés, dit-elle à Tony alors qu'ils enfilaient leurs vêtements de sortie. J'me d'mande s'ils savent seulement torcher leurs propres fesses…

10

Le lendemain, il avait gelé encore plus fort.

— Vous n'êtes pas encore rasé, Philip, et il est neuf heures…

— Je laisse pousser ma barbe.

— Vous n'avez pas fait votre toilette.

— Putain de froid dans la salle de bains.

— Vous n'avez pas quitté votre pyjama et votre robe de chambre depuis deux jours.

— Pas l'intention de sortir. Pas la peine.

— Mais vous devez sortir…

— Pourquoi ?

— Respirer l'air frais, faire de l'exercice…

— Il n'y a pas d'air frais dans cette foutue cité. Elle pue. Elle est laide. Je refuse de reconnaître son existence. Je ne bougerai pas de cette foutue chambre jusqu'à ma mort.

— Et vous y ferez quoi ?

— Rien. Rester au lit. Maintenant, posez ce plateau, fermez ces foutus rideaux et laissez-moi, vous voulez bien ?

— Philip, vous me parlez comme à une femme de chambre…

— Je suis votre mari et vous êtes ma femme.

Philip attaqua son petit déjeuner : des œufs à la coque, des toasts et du café. La Reine tira les rideaux sur Hell Close et descendit pour chercher Harris. Elle se faisait du souci à son égard. Il commençait à fréquenter une bande de durs. Une équipe de monstres à l'allure douteuse qui n'appartenaient à personne en particulier et se donnaient rendez-vous devant le jardin. Harris n'esquissait pas un mouvement pour les décourager. Au contraire, il semblait tout faire pour favoriser leur présence indésirable.

Le bruit que fit la Reine-Mère en rentrant chez elle réveilla Philomena Toussaint. Elle se leva et enfila la chaude robe de chambre que lui avait offerte Fitzroy, son fils aîné, pour ses quatre-vingts ans. « Tiens tes os bien au chaud, la mère, et porte-moi ce sacré truc », lui avait-il ordonné.

Elle avait lu que la Reine-Mère appréciait la boisson et le jeu. Deux activités que Philomena désapprouvait. Elle adressa une prière à Dieu. Seigneur, faites que ma voisine me laisse en paix.

Elle farfouilla dans son porte-monnaie pour y dénicher une pièce de cinquante pence. Allumerait-elle le gaz maintenant, dans l'après-midi ou ce soir, pendant la télévision ? Chaque jour, sauf en été, elle était confrontée au même dilemme. Troy, son second fils, n'arrêtait pas de la sermonner : « Ecoute, la mère, allume le feu *toute* la journée, et t'en fais pas pour le fric, tu demandes et c'est tout. »

Mais Philomena était fière. Elle se vêtit chaudement, empilant plusieurs couches. Puis elle alla chercher son manteau d'hiver dans son placard, l'enfila, noua une écharpe autour de son cou, enfonça un bonnet sur sa tête et, ainsi équipée contre le froid, passa dans sa cuisine pour préparer son petit déjeuner. Elle compta les tranches de pain qui lui restaient – cinq – et les œufs – trois –, plus de la margarine en quantité suffisante pour oindre le crâne d'un nouveau-né. Elle secoua la boîte de corn flakes : la moitié d'un bol et deux jours à courir jusqu'au versement de la pension. Elle se baissa et ouvrit la porte du réfrigérateur. Quel gâchis de laisser marcher ce truc quand il gèle, pensa-t-elle. Elle débrancha la prise et le ronronnement de l'appareil cessa. Elle sortit un morceau de fromage et, de ses mains nouées et douloureuses d'arthrose, elle en gratta quelques copeaux sur une tranche de pain qu'elle passa sous le gril. Elle attendit avec impatience : ça usait bien trop de gaz. Aussi retira-t-elle le pain avant que le fromage fût convenablement

fondu. Avec son bonnet, son manteau, son écharpe et ses
gants, elle se mit en demeure de déguster son petit déjeuner
à moitié cuit. A travers le mur, elle percevait le rire de la
Reine-Mère et le raclement des meubles sur le parquet.
Attends un peu, ma bonne femme, bientôt tu rigoleras
moins…

La veille au soir, Philomena avait entendu, à la télévision,
Jack Barker expliquer que l'ex-famille royale vivrait aux
frais de l'Etat. Les nouveaux retraités, la Reine, le prince
Philip et la Reine-Mère, toucheraient la même somme
qu'elle. Elle ferma les yeux et pria : « Pour ce que je reçois
et recevrai, puisse le Seigneur me garder toujours reconnaissante. Amen. » Puis elle se mit à manger. Elle mâchait
soigneusement chaque bouchée comme si c'était la dernière. Elle aurait aimé s'offrir une seconde tranche, mais
elle faisait des économies pour payer la taxe de la télévision.

La ridicule exiguïté de son logement déclenchait les rires
en cascade de la Reine-Mère.

– Ce studio est parfait ; tellement, tellement *adorable*. On
dirait un chenil pour un très gros chien !

Elle serra autour d'elle son manteau de vison et s'en fut
inspecter la salle de bains. Ce qui entraîna de nouveaux
rires exhibant des dents qui n'avaient pas beaucoup connu
le dentiste.

– Oh, j'a-dore. Tout est si *commode*, et regarde, Lilibet, il
y a même quelque chose pour suspendre son peignoir !

La Reine jeta un œil au crochet en acier inoxydable planté
derrière la porte. Pas de quoi s'extasier : il s'agissait d'un
simple crochet, un objet utilitaire destiné à suspendre des
vêtements.

– Je ne vois pas de papier hygiénique, Lilibet, chuchota
la Reine-Mère. Comment est-on supposé se procurer du
papier hygiénique ?

Elle penchait la tête sur le côté avec coquetterie, dans
l'attente d'une réponse.

– On doit l'acheter dans un magasin, dit Charles, qui arrivait du dehors où il s'activait, seul, à vider le contenu du camion stationné devant le pavillon de sa grand-mère.

Il portait une lampe sous un bras et un écran de soie sous l'autre.

– Vraiment, c'est ce qu'on fait ? (Le sourire de la Reine-Mère ressemblait à ceux taillés dans la pierre du mont Rushmore.) C'est à vous donner des frissons...

– Vous trouvez ?

Que sa mère refuse de céder à *un seul* moment de désespoir, voilà qui agaçait fortement la Reine. Le pavillon était en réalité moche, exigu, froid et nauséabond. Comment allait-elle *s'en tirer* ? Elle n'avait jamais seulement manœuvré elle-même un simple rideau. Et la voilà qui arborait une expression de stupide courage pour affronter cette horrible situation !

Spiggy arriva sur ces entrefaites et fut accueilli par des cris de joie extravagants. La Reine-Mère n'avait tenu aucun compte des avertissements de Jack Barker. Une pièce ne pouvait mesurer neuf pieds sur neuf. On avait oublié un chiffre quelque part. Barker voulait dire dix-neuf pieds, pour le moins. Ainsi, elle avait apporté ses vastes tapis de Clarence House. Les serviteurs – du moins ceux qui demeuraient suffisamment sobres pour tenir debout – les avaient chargés dans le camion, dans un ultime acte de domesticité.

Spiggy sortit les outils de destruction de sa trousse, cutters, règle graduée, marteau, et se mit en devoir de cisailler une carpette de grand prix, un présent du shah de Perse, afin de l'ajuster au devant de cheminée carrelé de briques oranges. De nouveau, il était le héros du jour. Pendant ce temps, la Reine-Mère effectuait une petite promenade dans le jardin à l'arrière de la maison, sa chienne corgi, Susan, sur ses talons. De la maison adjacente, une femme noire l'observait depuis la fenêtre de sa cuisine. La Reine-Mère lui adressa un signe de la main mais la femme tourna brusquement la tête et disparut. Le sourire de la Reine-Mère

s'évanouit un instant puis se rétablit, comme les indices
boursiers du *Financial Times* un jour de tempête à la City.

Elle avait un besoin vital d'amour. Autant que de plasma.
Elle avait vécu privée de l'amour d'un homme la plus
grande partie de sa vie. Etre adorée par le peuple représentait une compensation. Elle fut légèrement perturbée par
l'attitude peu amicale de sa voisine, mais elle n'avait pas
quitté le jardin que son sourire était de nouveau fermement
accroché à sa place.

Spiggy inspectait son travail. De l'adoration se lisait dans
ses yeux. Pour engager la conversation, la Reine-Mère s'enquit de sa femme.

– Alle s'est barrée, répondit Spiggy.

– Vous avez des enfants ?

– Les a embarqués avec elle.

La Reine-Mère crut le taquiner :

– Alors, vous êtes un gai célibataire ?

Spiggy fronça les sourcils :

– Qui c'est qu'a dit que j'étais un gay ?

Charles intervint :

– Granny veut dire que vous menez probablement une
existence insouciante, détachée des responsabilités domestiques.

– J'bosse comme un malade pour gagner ma croûte, oui !
répliqua Spiggy sur la défensive. Essayez voir de clouer des
moquettes toute la sainte journée…

Charles se montra fort déconfit devant ce malentendu.
Pourquoi sa famille ne réussissait-elle pas à *parler* simplement avec ses voisins sans… euh… de perpétuels…
euh… ?

La Reine fit circuler de délicates tasses en porcelaine de
Chine.

– Café, annonça-t-elle.

Spiggy observa la manière dont les ex-royaux manipulaient
les minuscules objets. Ils inséraient leur index dans la petite
anse, soulevaient la tasse et la portait à leurs lèvres. Mais

Spiggy ne parvint pas à faire pénétrer son doigt calleux et rêche de travailleur à l'intérieur. Il regarda ses mains et les compara aux leurs. Honteux, il dissimula ses battoirs dans les poches de sa salopette. Il avait l'impression d'être une masse pesante. Leurs corps à eux brillaient comme s'ils étaient recouvert d'un verre protecteur. Le sien était comme une carte de géographie où étaient dessinés les accidents du travail, les bagarres, les mauvais traitements, la pauvreté, autant de marques indélébiles de la vie qu'il avait menée. Il attrapa la tasse de sa main droite et avala le maigre contenu dans lequel on ne serait même pas parvenu à noyer un moucheron. Il grommela dans sa barbe et reposa la mini-tasse sur la coupe.

Le prince Charles se fraya un chemin à travers le petit groupe qui s'était rassemblé devant la maison de sa grand-mère. Un jeune type au crâne rasé se tenait, frissonnant et le dos rond, dans le vent glacé.

— Vous avez pas b'soin d'une vidéo ?

Charles balbutia :

— En réalité, nous aimerions bien, c'est-à-dire ma femme aimerait. Nous avons dû laisser la nôtre à… euh… Mais… enfin… une vidéo, n'est-ce pas… euh… terriblement cher ?

— Je veux. Mais j'peux en dégotter une pour cinq cents balles.

— Cinq cent balles ?

— Affirmatif. J'ai un pote, t'vois, à ce prix-là, c'est comme s'il les donnait.

— C'est une sorte de philanthrope ?

Warren Deacon contempla Charles sans comprendre :

— C'est juste un pote, quoi.

— Et ces… euh… appareils vidéo, est-ce que… enfin… ils *fonctionnent* ?

— Ben, 'vid emment, y sortent de bonnes maisons ! dit Warren avec indignation.

Quelque chose intriguait Charles. Comment cette face de rat savait-elle qu'ils ne possédaient pas de magnétoscope ? Il posa la question.

– Chuis passé d'vant votre baraque hier soir, j'ai maté par la fenêtre. Entre nous, faudrait mieux fermer vos rideaux. Vous avez du beau matériel, là-d'dans. Vos chandeliers, là, c'est du bon…

Charles fut sensible au compliment de Warren. Selon toute apparence, ce jeune homme possédait un sens esthétique très développé. Comme quoi il ne fallait pas juger les gens sur leur mine.

– Ils sont tout à fait exquis, n'est-ce pas, William III. Enfin… euh… C'est William III qui débuta cette collection en…

– C'est d'l'argent massif ?

Warren suivait son idée.

– Certainement, l'assura Charles. Poinçon d'Andrew Moore.

– Ah ouais ? fit Warren, comme s'il était un familier des orfèvres du dix-septième siècle. J'parie que ça coûte un max.

– Probablement, lui concéda Charles, mais… euh… comme vous ne l'ignorez pas… nous… c'est-à-dire ma famille… nous n'avons pas l'autorisation, en réalité, de céder… euh… notre… euh…

– Fourbi ?

Warren en avait marre d'attendre que Charles finisse ses phrases. Non mais quel connard. Et dire que ce mec allait s'aligner pour être roi et faire la loi à Warren !

– Fourbi, oui, c'est ça.

– Alors, feriez mieux de lourder les chandeliers et d'ach'ter la vidéo.

– D'ach*eu*ter la vidéo, oui, rectifia Charles, un brin pédant.

– Alors, vous en voulez une… ?

Warren pensait qu'il était temps de conclure le marché.

Charles fouilla dans la poche de son pantalon où il savait trouver un billet de cinquante livres et le tendit à Warren Deacon. Il ne connaissait ni le nom de famille de Warren ni l'endroit où il habitait, mais il pensa que la fréquentation d'un garçon manifestant un tel intérêt pour des objets histo-

riques méritait d'être cultivée. Il avait l'intention de lui
montrer sa petite collection d'œuvres d'art. Peut-être pour-
rait-il l'encourager à se mettre à l'aquarelle…

Il grimpa à l'arrière de la camionnette et saisit un carton
étiqueté CHAUSSURES, sauf que des chaussures ne tintent pas
les unes contre les autres et qu'elles ne pèsent pas si lourd.
Il souleva le couvercle du carton et aperçut vingt bouteilles
de gin amoureusement enveloppées dans du papier de soie
vert. Il força sa voie à travers les badauds, le carton coincé
sous son menton, transpirant sous l'effort. Si Beverley avait
pu le voir maintenant, en train de porter un poids aussi
lourd, un vrai travail d'homme… Comme il atteignait la
porte d'entrée, sans rien avoir laissé tomber de son pesant
fardeau, il fut acclamé ironiquement par une petite assemblée de femmes et d'enfants en poussettes. Charles rougit
légèrement et salua de la tête, comme on lui avait appris à
le faire depuis l'âge de trois ans.

Il pénétra en titubant dans la cuisine, où il trouva sa mère
en train de faire la vaisselle avec son unique main valide.
La princesse Margaret était assise sur la table en formica et
se contentait de regarder sa sœur. Le chaos régnait dans sa
propre maison. Elle n'avait rien à se mettre. La malle contenant des vêtements convenables pour la journée était restée
à Londres. Son unique vestiaire disponible à Hell Close
consistait en six robes de petit soir qui auraient fait l'affaire
pour une inauguration et une remise de prix, mais rien
d'autre. Elle avait bien entendu emporté ses fourrures mais,
ce matin, une fille avec une araignée tatouée sur le cou
avait crié : « Salope, tueuse d'animaux ! » sur son passage.

La Reine avait envie de voir Margaret hors de la cuisine.
Elle cachait la lumière et prenait une place précieuse. Il y
avait encore du pain sur la planche.

Spiggy passa la tête par la porte et demanda :

— Vous voulez que j'vous arrange vos tapis ? J'peux vous
caser c't'après-midi…

— Non, merci mille fois, mais cela n'en vaut pas la peine.
Je ne resterai pas longtemps, répondit Margaret.

– A vot' service, Maggie.

Spiggy avait l'intention d'être aimable.

– « Maggie ! » (La princesse se redressa de toute sa hauteur.) Comment *osez*-vous me parler sur ce ton ? Veuillez ne pas oublier que je suis la princesse Margaret ! (Elle releva la manche d'un magnifique tailleur signé Karl Lagerfeld et tendit le poing comme pour le frapper mais elle se retint.) Espèce d'horrible nabot grassouillet ! cria-t-elle avant de s'enfuir en direction de chez elle.

La Reine saisit la bouilloire. Elle pensait que Spiggy méritait bien une bonne tasse de thé.

– Je suis désolée. Nous sommes tous plutôt surmenés.

– Y a pas d'mal, dit Spiggy. C'est sûr que ça m'ferait pas d'mal de perdre quelques kilos.

Encore un truc avec eux, pensa-t-il, y en a pas un qu'est gros. Toutes ses connaissances étaient plus qu'enrobées. Les femmes grossissaient après leur accouchement et les hommes prenaient du poids à cause de la bière. Le jour de Noël, sa famille pouvait à peine tenir dans le séjour. En surveillant la bouilloire, la Reine se mit à fredonner un air que Spiggy reprit en sifflant.

– C'est quoi c't air-là ? demanda Spiggy lorsqu'ils eurent fini leur duo impromptu.

– *Born Free*, répondit-elle. J'ai vu le film en 1966. Au Royal Film Performance.

– Gratuitement, hein ?

– C'est exact, et je n'ai pas eu à faire la queue non plus.

– C'est marrant quand même d'aller au cinoche avec une couronne sur la tête.

La Reine rit :

– Un diadème. Une couronne serait vraiment trop gênante pour la personne assise derrière.

Spiggy éclata de son rire tonitruant et Philomena tapa sur le mur en criant :

– Arrêtez ce bruit, vous me cassez la tête !

Philomena avait faim, froid et mal au crâne. Elle était jalouse. Sa cuisine aussi retentissait de rires, autrefois, lorsque les enfants vivaient à la maison. Fitzroy, Troy et le bébé Jethroe. Ce qu'ils pouvaient dévorer. Il aurait fallu un bulldozer pour remplir leurs bouches. Elle passait tout son temps en d'incessants allers-retours entre sa maison et le marché. Elle se souvint du poids du sac à provisions et de l'odeur des chemises fraîchement repassées, chaque matin, avant l'école. Elle tira une chaise sous le placard en hauteur où elle conservait paquets et boîtes. Elle se hissa pour déposer les corn flakes au sommet du placard et en profita pour tout déplacer et redisposer selon des arrangements différents, le potage sur le devant, les céréales derrière, jusqu'à ce qu'elle soit satisfaite de son organisation. Elle redescendit de son perchoir et cria à haute voix dans la cuisine, « Jamais eu affaire aux flics », puis elle passa dans le couloir d'entrée, « Des placards toujours pleins », enfin elle pénétra dans sa chambre à coucher, « Il y a une place pour moi au paradis ». Elle ôta son manteau et se mit au lit pour avoir chaud.

En fin d'après-midi, une foule importante s'était rassemblée autour de la camionnette pour apercevoir la Reine-Mère. L'inspecteur Holyland dépêcha un jeune policier pour disperser les badauds. L'agent Isiah Ludlow aurait préféré monter la garde auprès d'un cadavre en décomposition plutôt que d'affronter les dures à cuire de Hell Close et leurs gamins malfaisants.

– Allons, mesdames. Circulez, s'il vous plaît...

Il fit claquer l'un contre l'autre ses gants de police en cuir épais, ce qui lui donnait, avec sa moustache en croc, l'air d'un phoque sur le point de lancer un ballon. Il répéta son ordre. Personne ne bougea.

– Vous obstruez la voie publique...

Aucune des femmes présentes ne savait en toute certitude ce qu'était une voie publique. Un genre de trottoir ? L'une d'entre elles, son ventre gravide pointant sous son anorak, déclara :

– On surveille la camionnette de la Reine-Mère.

– Eh bien, vous pouvez rentrer chez vous. Je suis ici maintenant. Je surveillerai le véhicule.

La femme enceinte ricana :

– J'f'rais pas confiance aux flics pour garder un tas de merde.

L'agent Ludlow tressaillit à cet affront concernant son intégrité professionnelle, mais il se souvint de ce qu'on lui avait enseigné à l'école de police. Rester calme. Ne pas laisser le public prendre le pas sur lui. Garder le contrôle de la situation.

– C'est d'ta faute si mon homme a pris deux ans de taule, continua la femme.

L'agent Ludlow aurait dû ignorer cette remarque, mais, jeune et inexpérimenté, il crut très fin de demander :

– Et évidemment il est innocent, n'est-ce pas ?

Il avait essayé de donner à sa voix une intonation hautement sceptique, mais il n'y était pas vraiment parvenu.

– Ils ont dit qu'il avait fauché le plomb sur le toit de l'église, mais c'est un putain de mensonge.

Elle se mit à pleurer. Les autres femmes l'entourèrent en lui tapant sur l'épaule et en lui frottant le dos.

– Il avait les foies dès qu'y montait sur une chaise. C'est toujours moi qui d'vais changer l'ampoule…

Charles émergeait du pavillon, impatient d'en finir avec le contenu de la camionnette, lorsqu'il entendit une voix féminine crier plaintivement : « Lee ! Lee ! Je veux mon Lee ! »

Un groupe de femmes entourait un jeune policier. Son casque tomba par terre et fut ramassé par un gamin portant une boucle d'oreille. Il le mit sur sa petite tête et s'enfuit en courant au bout de la rue. L'agent Ludlow essayait d'expliquer à la femme hystérique qu'il n'était pas responsable de l'arrestation de son mari : c'était une chose de participer à la mêlée, une autre d'établir la stratégie de l'équipe, elle pouvait comprendre ça.

– Allons, du calme, maintenant, tenta-t-il, en posant la main sur la manche de son anorak.

Le petit groupe exécuta un mouvement d'ensemble, bloquant Charles à l'arrière de la camionnette. Il ne percevait plus maintenant qu'un policier agrippant le bras d'une femme enceinte jusqu'aux yeux, laquelle se débattait pour se libérer. Il avait lu des rapports sur les brutalités policières. Se pouvaient-ils qu'ils soient véridiques ?

Les femmes qui entouraient l'agent Ludlow poussaient maintenant des cris perçants. A tout moment, il pouvait être jeté à terre. Il s'accrocha désespérément à la manche de la femme enceinte qui s'appelait Marilyn, du moins était-ce ce qu'il avait déduit des injonctions de ses compagnes. Même ainsi malmené, il écrivait dans sa tête le brouillon de son rapport sur ce qui était devenu un « incident ». Des rames de papier défilaient devant ses yeux.

Charles se tenait aux abords du groupe. Devait-il intervenir ? Il était réputé pour ses qualités de conciliateur. Il était convaincu – lui eût-on donné sa chance – qu'il aurait su mettre fin à la grève des mineurs. Il avait voulu s'inscrire au club des étudiants travaillistes à Cambridge mais en avait été dissuadé par Rab Butler[1]. Charles vit Beverley Threadgold qui traversait la rue en courant, après avoir claqué sa porte derrière elle. Avec son boléro de lycra blanc, sa minijupe rouge et ses jambes nues bleues de froid, elle faisait songer à un voluptueux Union Jack.

Elle plongea dans le groupe en hurlant :

– Laisse notre Marilyn tranquille, saloperie de flic !

L'agent Ludlow s'imaginait maintenant en train de témoigner devant le tribunal. Beverley s'était jetée sur lui, l'avait précipité sur le sol, écrasant son visage sur le trottoir maculé d'urine de chien et de mégots piétinés. Elle était assise sur son dos, l'empêchant presque de respirer, tant elle était forte. Avec un effort considérable, il parvint à la rejeter en arrière. Il entendit le bruit de sa tête heurtant le sol et son cri de douleur. Dans sa tête à lui continuait de se dérouler sa version des faits :

---

1. Homme politique appartenant au parti conservateur, longtemps rival de Harold Mac Millan pour le poste de Premier ministre.

« C'est alors, Votre Honneur, que j'ai pris conscience d'un nouveau poids sur mon dos, un homme dont je sais maintenant qu'il s'agissait de l'ex-prince de Galles. Cet homme, donc, se livrait apparemment à une attaque en règle contre ma vareuse. Lorsque je lui ai intimé l'ordre de cesser, il a dit quelque chose qui ressemblait à : "J'étais du côté des mineurs pendant la grève. Prends ça, pour Orgreve." Sur ces entrefaites, Votre Honneur, l'inspecteur Holyland est arrivé avec des renforts et a procédé à plusieurs arrestations, dont celle de l'ex-prince de Galles. L'émeute a été maîtrisée à dix-huit heures et deux minutes. »

Pendant la bagarre, l'ultime contenu de la camionnette fut dérobé par Warren Deacon et son petit frère, Hussein. Les Gainsborough, les Constable et différentes toiles représentant des scènes sportives furent vendues au patron du Yuri Gagarine, le pub local, pour une livre chaque. Sa femme avait justement décidé de redécorer la salle dans le style rustique. Les peintures feraient très bien à côté des chaufferettes en cuivre martelé et des cornes d'abondance garnies de fleurs séchées.

Plus tard, la Reine tenta de réconforter sa mère :

– J'ai un joli Rembrandt, je vous le donne. Il fera très bien au-dessus de votre cheminée. Voulez-vous que j'aille le chercher, Maman ?

– Non, ne me quitte pas, Lilibet. Je ne peux pas rester seule. Je ne l'ai jamais été.

La Reine-Mère tenait serré la main de sa fille aînée.

La nuit était tombée depuis longtemps. La Reine était fatiguée. Elle mourait d'envie de dormir. Déshabiller sa mère et préparer son lit lui avait pris des heures et il lui restait encore tant à faire. Appeler le commissariat, réconforter Diana, préparer le dîner pour Philip et pour elle. Elle avait hâte de voir Ann. Ann était un rempart.

A travers le mur, elle percevait d'ineptes rafales de rires enregistrés. La voisine accepterait peut-être de rester avec sa mère jusqu'à ce que cette dernière s'endorme ? Elle retira doucement sa main de celle de la Reine-Mère et, sous le prétexte de donner un bol de Friskies à Susan, elle sortit silencieusement du pavillon et sonna à la porte d'à côté.

Philomena ouvrit, portant son manteau, son bonnet, son écharpe et ses gants.

– Oh, dit la Reine, vous étiez sur le point de sortir ?

– Oui… mentit Philomena, choquée de voir la souveraine du Royaume-Uni et du Commonwealth à sa porte. Mais entrez donc…

La Reine expliqua son problème, mettant en avant le grand âge de sa mère.

– J'vous donnerai un coup de main, ma bonne dame, la coupa Philomena. J'ai vu votre fils emmené par la police en attirant la honte sur sa famille.

La Reine marmonna d'humbles remerciements et retourna annoncer à sa mère qu'elle ne passerait pas la nuit seule. Mme Philomena Toussaint, une ancienne aide soignante, membre de l'église épiscopale et de la société de lutte contre l'intempérance, resterait assise dans le séjour, près du radiateur à gaz. A quatre conditions cependant : ni boisson, ni jeu, ni drogue, ni blasphème pendant qu'elle serait sous ce toit. La Reine-Mère accepta, et les deux vieilles femmes furent présentées l'une à l'autre.

– Nous nous sommes déjà rencontrées à la Jamaïque, annonça Philomena, je portais une robe rouge et j'agitais un petit drapeau.

La Reine-Mère essaya de gagner du temps :

– Voyons, c'était en quelle année, déjà ?

Philomena se creusait la tête. Le tic-tac de l'horloge en porcelaine de Sèvres sur la table accentuait la distance et le temps que les deux femmes tentaient d'abolir.

– 1927 ? proposa la Reine-Mère, qui se souvenait vaguement d'une tournée royale aux Antilles.

– Vous vous souvenez donc de moi… (Philomena était contente.) Votre mari, comment il s'appelait déjà ?

– George.

– Oui, c'est bien lui, George. J'ai été triste lorsque Dieu l'a rappelé à lui.

– Moi aussi, admit la Reine-Mère. J'étais plutôt fâchée contre Dieu, à l'époque.

– Quand Dieu a rappelé mon mari, j'ai arrêté d'aller à l'église, avoua Philomena. Il me battait et prenait mon argent pour boire mais il m'a manqué. Est-ce que George vous battait?

La Reine-Mère expliqua que non, George ne l'avait jamais battue. Comme il l'avait été lui-même durant son enfance, il haïssait la violence. C'était un homme charmant et adorable, qui n'avait pas particulièrement apprécié d'être roi.

– C'est pour ça que le Seigneur l'a rappelé, pour qu'il connaisse un peu de paix, conclut Philomena.

La Reine-Mère s'enfonça dans les oreillers de lin délicat et ferma les yeux. Philomena retira sa tenue d'hiver et s'assit près du feu sur une fine chaise dorée, profitant de la chaleur gratuite.

Charles reçut l'autorisation de donner un coup de fil. Diana était occupée à lessiver les murs de la cuisine lorsque le téléphone sonna. Une voix revêche dit:

– Madame Teck? Ici le commissariat de la rue des Tulipes. Je vous passe votre mari.

Puis la voix de Charles:

– Ecoutez, je suis tout à fait désolé de toute cette histoire…

– Charles, je ne pouvais en croire mes oreilles lorsque Wilf Toby est venu m'avertir que vous vous étiez battu dans la rue. J'étais en train de peindre la salle de bains. Vert aquatique, c'est *étonnant*. A propos, que pensez-vous d'un rideau de douche assorti? Figurez-vous que j'avais le casque de mon baladeur sur les oreilles et j'ai raté toute l'aventure. Votre arrestation, le panier à salade… Mais les garçons n'ont rien perdu du reste de la bagarre. Oh, ce type, Warren, il est venu apporter le magnétoscope et je lui ai donné cinq cents balles…

Charles protesta :

– Mais je lui avais déjà donné cinq cents balles !

Diana continua comme s'il n'avait rien dit. Jamais elle ne s'était montrée aussi animée.

– ... et il marche très bien. Je regarderai *Casablanca* avant d'aller au lit...

Charles la coupa de nouveau :

– Ecoutez, chérie, c'est extrêmement important. Vous est-il possible d'appeler notre avocat ? Je suis accusé de coups et blessures volontaires sur agent de la force publique et...

Diana entendit une voix qui disait : « Ça suffit, Teck, retourne dans ta cellule ! »

11

Le prince Charles avait pour compagnon de cellule un garçon grand et mince répondant au nom de Lee Christmas. Lorsqu'il pénétra dans la petite pièce, Lee tourna vers lui sa face lugubre et dit :

— T'es le prince Charles ?

— Non, je suis Charlie Teck.

Lee demanda :

— Ils t'ont poissé pour quoi ?

Charles répondit :

— Coups et blessures volontaires sur agent de la force publique.

— Ah ouais ? T'as pas vraiment l'gabarit pour ça…

Charles préféra ignorer ce genre de remarque plutôt désobligeante.

— Et vous… euh… Ils vous ont… euh… pour quoi ?

— J'ai volé une boule.

— Volé une boule !

Charles était stupéfait. S'agissait-il d'un terme d'argot singulier entre malfrats ? Ce M. Christmas était-il coupable d'un crime sexuel d'un genre particulièrement répugnant ? Dans ce cas, il était en tous points déplaisant que lui, Charles, soit dans l'obligation de partager la captivité d'un tel individu. Il se tint le dos contre la porte de la cellule, l'œil fixé sur le bouton de la sonnette.

— Y avait c'te bagnole, t'vois ? Ça f'sait deux mois qu'elle traînait dans la rue ; les pneus et la stéréo ont été fauchés la première nuit. Après, tout a été chouré, même le moteur. C'était pus rien qu'une carcasse, non ?

Charles opina. Il lui était facile de se représenter l'épave. Il y en avait justement une dans Hell Close, à l'intérieur de laquelle jouaient William et Harry.

— Après tout, c'était une Renault, pas vrai ? Pareille que la mienne, à peu près la même année. Alors, je passe et j'vois ces mômes en train de jouer dans la caisse comme si c'était Cendrillon qui va... où ça déjà ?

— Au bal ? proposa Charles.

— En boîte, au disco, corrigea Lee. Bon, cassez-vous, j'leur dis, et m'v'là à dévisser la boule du changement de vitesses, vu qu'elle manquait sur la mienne, t'vois ? Normal que j'me serve, non ? (Charles commençait à comprendre où Lee voulait en venir.) Et qui c'est qui m'chope le bras par la fenêtre de la bagnole, hein ?

Lee fit une pause.

Charles tenta de meubler :

— Dans l'ignorance où je suis de tous les paramètres, monsieur Christmas, et ne connaissant personne de votre famille, amis ou relations, il m'est extrêmement difficile de deviner qui a bien pu...

— Un faux derche ! hurla Lee, au comble de l'indignation. Un keuf en civil, traduisit-il à Charles, qui en avait visiblement besoin. Et y m'ont agrafé pour un bout de ferraille ! Une boule, une putain de boule qui vaut même pas trente-cinq kopeks...

Charles était sidéré :

— Mais c'est tout simplement sidérant, dit-il.

— C'est l'pire qui m'ait jamais arrivé, même si j'compte le chien quand y s'est fait écraser, se plaignit Lee. Maintenant, j'passe pour un con. Quand j'sors d'ici, faut que j'me fasse un coup fumant, une banque ou un truc dans l'genre. Sinon, j'pourrais pus marcher la tête haute dans la cité.

— Où habitez-vous ? s'enquit Charles.

— Hell Close. On est les voisins de vot' frangine. Y nous ont envoyé une lettre comme quoi fallait pas lui faire la révérence et tout l'bordel.

— C'est exact, confirma Charles, nous sommes désormais des citoyens ordinaires.

– Quand même, la mère, elle a été se faire friser les cheveux et elle arrête pas de tout briquer comme une malade. D'habitude, c'est plutôt une feignasse. Elle est comme vot' maman, elle en fout pas une à la maison.

On entendit un remue-ménage de clés et la porte s'ouvrit sur un policier portant un plateau. Il tendit à Lee une assiette de sandwichs sous plastique en disant :

– Eh, Christmas, bouffe-moi ça. (Il se tourna vers Charles.) Ce film plastique est plutôt mal commode, Sir, laissez-moi l'ôter pour vous.

Pendant les quelques minutes passées dans la cellule, il donna six fois du « Sir » à Charles, lui souhaita « une excellente nuit » et lui glissa une petite boîte de biscuits.

Lee Christmas dit :

– On dirait bien qu'c'est vrai, c't' histoire...

– Qu'est-ce qui est vrai ? Quelle histoire ? demanda Charles, la bouche pleine de pain et de fromage.

– Qu'y a une loi pour les riches et une loi pour les pauvres...

– Désolé, fit Charles.

Il tendit un biscuit à Lee.

A vingt-trois heures, Radio 2 éclata dans la cellule et remplit l'espace d'un bruit assourdissant. Les deux prisonniers se bouchèrent les oreilles. Charles appuya à plusieurs reprises sur le bouton de sonnette mais personne ne se montra, pas même le déférent policier au plateau.

– Arrêtez le boucan, beugla Lee à travers la serrure.

Ils entendaient les autres prisonniers crier grâce.

– Cette agression est assimilable à la torture, cria Charles essayant de dominer *A la pêche à la crevette, je ne veux plus aller, Maman*.

Mais le pire restait à venir : une main anonyme manœuvra le bouton, et la radio se mit à brailler *Il porte le monde entier entre ses mains glorieuses, Alléluia*, à tout berzingue, avec, en fond sonore, des bruits comparables à une conversation téléphonique en serbo-croate.

Charles s'était souvent interrogé sur sa capacité à supporter la torture. Maintenant, il savait. Cinq minutes de ce régime, et il livrerait ses propres enfants à l'ennemi. Il essaya de faire triompher l'esprit sur la matière en repassant dans sa mémoire les noms des souverains qui avaient régné sur l'Angleterre, depuis l'an 802 : Egbert, Ethelwulf, Ethelbald, Ethelbert, Ethelred, Alfred le Grand, Edward l'Ancien, Athelstan, Edmund Ier, Edred, Edwy, Edgar, Edward II le Martyr ; toutefois, parvenu aux Saxons et aux Danois, il renonça, incapable de se souvenir si Harold Pied-de-Lièvre avait régné seul ou avec Hardicute, en 1037. Lorsqu'il en fut à la dynastie des Plantagenêt – Edward Ier Longues-Jambes –, il succomba au sommeil en se demandant quelle pouvait bien être la longueur *exacte* des jambes d'Edward. Mais il fut réveillé en sursaut aux accents de *Diamonds are for ever*, chanté par Shirley Bassey, et il reprit sa liste. Dynastie de Saxe-Coburg et Gotha : Edward VII, puis il passa aux Windsor – George V, Edward VIII, George VI, Elizabeth II –, jusqu'à un blanc. Un jour, dans le futur, après la mort de sa mère, il aurait occupé cette place. Celle de captif dans un autre genre de prison.

Pendant ce temps, Lee Christmas dormait, agrippant ses épaules de ses mains décharnées, les genoux remontés sur son ventre creux. Son humiliation envolée, il conduisait sa Renault, avec une virtuosité de bon aloi, une fille à ses côtés, sa main posée sur la boule fatale, prêt à changer de vitesse.

La Reine était allongée dans le noir. Elle se faisait du souci pour son fils. Une fois, par inadvertance, elle avait regardé un documentaire sur les hooligans (en réalité, elle pensait qu'il s'agissait d'animaux sauvages). Un célèbre vétérinaire avait établi un rapprochement entre violence et absence de soins maternels. Etait-ce la raison pour laquelle Charles s'était battu dans la rue ? Serait-elle coupable ? Elle n'avait pas réellement désiré ces tournées royales pendant lesquelles elle laissait Charles derrière elle. Elle avait cru les experts quand ils lui affirmaient que, sans son aide, le commerce extérieur britannique se serait effondré. De toute manière, il s'était effondré, songea-t-elle amèrement. Elle aurait aussi bien fait de rester à la maison, avec les chiens, et de rendre visite à Charles une heure ou deux par jour.

Un autre problème l'empêchait de dormir : elle allait bientôt manquer d'argent. Le bureau d'aide sociale était supposé lui en apporter mais personne ne s'était montré.

Et comment se rendre au tribunal, tout à l'heure, sans automobile ni taxi ?

La veille, elle avait fouillé les poches de pantalon de Philip sans rien y trouver. Elle avait alors appelé les membres de sa famille pour leur emprunter un billet de dix livres. La Reine-Mère ne retrouvait pas son porte-monnaie. La princesse Margaret fit semblant d'être sortie alors même que la Reine apercevait distinctement sa silhouette derrière la vitre recouverte de givre de sa porte d'entrée. Quant à Diana, elle avait apparemment dépensé la somme allouée pour ses premières dépenses urgentes en pots de peinture et magnétoscope.

La Reine n'arrivait pas à comprendre où était passé son propre argent. Comment les gens s'y prenaient-ils donc ? Elle alluma la lumière à la tête de son lit et, à l'aide d'un papier et d'un crayon, elle essaya de déterminer la somme de ses dépenses depuis son arrivée dans Hell Close. Elle eut à peine le temps de noter *Monsieur Spiggy £ 50* que la lumière s'éteignit. Le compteur électrique avait besoin d'être rechargé mais, n'ayant rien pour l'alimenter, elle dut s'accommoder de l'obscurité.

Elle entendit alors, venue du passé, la voix de Crawfie : « Allons, Lilibet. Nous mettons notre manteau, notre chapeau, nos gants et en route pour un voyage dans le métropolitain ! » Accompagnées de la gouvernante, Margaret et elle avaient une fois pris le métro, de Piccadilly Circus à Tottenham Court Road, en changeant à Leicester Square. Les lumières s'étaient éteintes plusieurs fois d'une manière inquiétante pendant le trajet. Ce fut d'ailleurs la partie la plus excitante du voyage et elle l'avait racontée, le soir, à

ses parents ; mais ceux-ci n'avaient pas partagé son enthousiasme. Pour eux, obscurité égalait danger, et ils avaient
interdit à Crawfie de renouveler cette expérience, celle de
conduire de jeunes princesses dans le monde réel, où les
gens sont imparfaits, portent des vêtements ternes et parlent
une autre langue.

12

La Reine regardait son fils dans le box des accusés et elle se souvint de la dernière fois où elle l'avait vu derrière des barreaux. C'était dans son parc, à la nursery de Buckingham Palace. Diana était assise à côté d'elle, tripotant un mouchoir humide. Elle avait les yeux et le bout du nez rouges. Pourquoi avait-elle oublié de demander à leur avocat de se rendre au commissariat, auprès de Charles ? Comment une chose aussi importante lui était-elle sortie de l'esprit ? C'était entièrement de sa faute si Charles était maintenant représenté par un avocat commis d'office, Oliver Meredith Lebutt, un homme aux cheveux filasses, d'un genre discutable, avec des doigts tachés de nicotine et un trouble de l'élocution. La Reine l'avait détesté immédiatement. Charles sourit et agita la main en direction de sa femme et de sa mère. Il fut sur-le-champ rappelé à l'ordre par le juge, un syndicaliste convaincu nommé Tony Wrigglesworth.

– Nous ne sommes pas au carnaval, monsieur Teck.

La Reine dressa l'oreille. « Teck » ? Pourquoi Charles utilisait-il le nom de jeune fille de son arrière-grand-mère ? Dieu soit loué, Philip avait refusé de sortir du lit pour assister à l'audience. Cela aurait été capable de le tuer.

Diana sourit à son mari. Elle le trouvait *super*. Une barbe de deux jours, et il avait déjà le look des durs à cuire qui font le coup de poing dans les rues. Elle cligna de l'œil en direction de Charles, qui cligna en retour, entraînant un nouveau rappel à l'ordre de Tony Wrigglesworth.

– Monsieur Teck, vous n'êtes pas Benny Hill, par conséquent évitez les contorsions faciales.

Des rires flagorneurs ondoyèrent dans la salle. Pas dans le banc de la presse, cependant, car les journalistes étaient absents. Les rues autour du tribunal étaient interdites à la circulation, aux piétons et, tout particulièrement, aux représentants des médias.

Il y eut un certain remue-ménage et Beverley Threadgold fut extraite de sa cellule et rejoignit Charles dans le box. Elle était attachée par des menottes à une femme policier. Charles, qui était déjà debout, se tourna vers Beverley et lui avança une chaise. Tony Wrigglesworth donna un coup de poing rageur sur la table et cria :

– Teck, vous n'êtes pas un vendeur de meubles ! Demeurez debout, madame Threadgold.

Charles aida Beverley à se lever. La vue de leurs mains unies un bref instant donna un coup au cœur à Diana. Beverley était magnifique dans le box, toute en rondeurs féminines dans un ensemble tricoté. Diana décida de prendre au moins six kilos.

On amena le troisième prisonnier, Violet Toby, qui paraissait pâle et âgée sans son maquillage. Tony Threadgold et Wilf Toby firent un petit signe de tête en direction de leurs épouses, bien trop effrayés par Tony Wrigglesworth pour risquer quelque chose de plus personnel.

L'audience commença. Le procureur de la Couronne, Susan Bell, le style femme de tête trapue, exposa les faits à la Cour. La Reine, qui avait été le témoin des événements relatés en termes dramatiques par Mme Bell, était horrifiée. Ce n'était simplement *pas* la vérité. On fit comparaître l'agent Ludlow, qui débita des mensonges, affirmant avoir été sauvagement attaqué par Charles, Beverley et Violet.

Non, il était incapable d'expliquer les raisons de cette attaque. L'influence de la télévision, peut-être ? L'inspecteur Holyland confirma l'histoire de Ludlow, décrivant la prétendue agression contre sa personne comme « une orgie de violence », à la tête de laquelle se trouvait l'individu Teck, que l'on avait entendu crier « Mort aux vaches ».

Tony Wrigglesworth intervint :

– Et il ne se trouvait aucune vache à proximité, une vache à quatre pattes ?

– Non, monsieur, je suppose que la phrase de Teck « Mort aux vaches » indiquait qu'il était urgent de mettre à mort l'agent Ludlow.

La Reine dit d'une voix forte :

– C'est insensé !

– Madame, nous ne sommes pas dans un théâtre d'avant-garde. Nous ne requérons pas la participation de l'audience.

Oliver Meredith cessa de farfouiller à l'intérieur de son oreille et posa son doigt enduit de cérumen sur ses lèvres pour indiquer à la Reine qu'elle devait rester silencieuse. Elle était envahie de sentiments de rage et de haine mais elle se tut et considéra d'un œil mauvais le banc où Tony Wrigglesworth conférait avec les autres magistrats, une femme courte sur pattes vêtue de tweed et un homme nerveux portant un costume mal coupé.

L'audience continuait. Le soleil fit son apparition et illumina par-derrière le trio dans le box. On aurait dit des anges descendus du ciel.

Olivier Meredith Lebutt se hissa lourdement sur ses pieds, laissa tomber ses papiers et, de sa voix perchée et zozotante, s'adressa à ses clients en écorchant leurs noms, mélangea leurs témoignages et finit par indisposer la Cour. Ce fut une surprise pour tout le monde lorsque, après une brève interruption, Tony Wrigglesworth annonça que les trois inculpés seraient traduits devant le tribunal correctionnel mais que, en attendant, ils seraient mis en liberté provisoire sous conditions, dont celle de verser une caution.

Oliver Meredith arbora un air de triomphe comme s'il avait remporté une victoire en cour d'assises. Il regarda autour de lui dans l'espoir de recevoir des félicitations mais, personne ne se portant volontaire, il froissa ses papiers et se traîna hors de la salle pour conter fleurette à Susan Bell, le procureur de la Couronne dont il venait de tomber amoureux.

Charles demanda à rester dans la salle pour assister à l'audience suivante. Lee Christmas reçut une peine de deux mois de prison pour le vol d'une boule en plastique noire. Avant de quitter la salle pour effectuer le début de sa condamnation, il cria :

– Dis à ma manman de ne pas s'en faire, Charlie !

Ce qui conduisit Tony Wrigglesworth à déclarer que le tribunal n'était pas une messagerie.

Comme ils quittaient le tribunal en descendant la rue anormalement vide, Tony Threadgold suggéra de célébrer les événements avec une bonne tasse de thé au British Home Stores avant de reprendre l'autobus pour Hell Close. La Reine ressentit une impression de solitude totale en voyant les trois couples pénétrer devant elle dans le café. Wilf avait posé sa main sur le bras de Violet. Tony et Beverley se tenaient enlacés et Diana avait niché sa tête sur l'épaule de Charles. Tout ce à quoi la Reine pouvait se raccrocher était son fameux sac à main noir.

Elle aurait espéré que l'apparition de trois membres de l'ex-famille royale soit de nature à faire sensation dans le café bondé mais, excepté quelques regards curieux sur l'apparence hirsute de Charles et les Ray-Ban de Diana en plein mois d'avril, personne ne fit réellement attention à eux. De nombreuses femmes d'un âge voisin de celui de la Reine, la tête recouverte d'une écharpe et une broche épinglée à leurs manteaux, étaient assises à des tables en formica.

Elizabeth avoua :

– J'ai peur de ne pas avoir d'argent pour payer le thé.

– Vous bilez pas, dit Tony.

Après avoir ordonné aux autres de trouver une table, il partit faire la queue au comptoir du self-service. Il revint avec sept tasses de thé et sept beignets. Beverley dit :

– Tony, tu es vraiment un chou.

La Reine acquiesça. Elle mourait de faim. Elle mordit

avec appétit dans le beignet. La confiture en jaillit et se
répandit sur son manteau de cachemire.

Violet lui tendit une serviette en papier :

– Tenez, v'là une serviette, Liz.

Et la Reine, loin de s'offenser de la familiarité outrancière
de Violet, la remercia, prit la serviette et essuya son manteau.

13

Une fois revenu à Hell Close, Charles se rendit chez Mme Christmas pour lui transmettre le message de son fils. Il trouva la maisonnée sens dessus dessous. M. et Mme Christmas et leurs six fils adolescents étaient en plein milieu d'une violente dispute concernant, apparemment, la disparition de l'argent du loyer. Mme Christmas avait immobilisé un de ses fils par une prise de judo autour du cou tandis que M. Christmas menaçait les autres d'un presse-purée. Le fils qui avait ouvert la porte à Charles se jeta de nouveau dans la mêlée en brâmant son innocence :

— En tout cas, c'est pas moi !

— Tout c'que j'sais, c'est que j'ai laissé le fric sous la pendule et que maintenant, il est pus là, hurla Mme Christmas.

Christmas Senior lança le presse-purée à la tête de ses fils :

— Lequel de vous, petits salauds, l'a fauché ?

Les gamins se tinrent cois. Deux d'entre eux portaient déjà les marques d'un gril sur leur front. Même Charles sentit battre son cœur dans sa poitrine et pourtant il était *certain* de ne pas avoir pris l'argent.

M. Christmas entreprit d'arpenter furieusement le séjour et s'adressa à eux comme s'il faisait une conférence à des étudiants de faculté particulièrement abrutis.

— Bon, je sais, j'suis pas blanc bleu. J'ai pas peur de chourer ici et là, ça sert à rien d'dire le contraire. Mais justement, j'vous ai toujours payé à manger, et des fringues et des godasses, pas vrai ?

– Ils z'ont jamais manqué de rin, confirma Mme Christmas, z'ont toujours eu ça qui z'ont voulu.

Elle relâcha sa prise sur le cou de son fils, qui s'enfuit
loin d'elle avec un haut-le-cœur.

M. Christmas continuait sa conférence :

– D'accord, j'ai violé les règles de ce pays, mais jamais
j'ai violé la loi qui dit qu'on chie pas dans ses chaussures.
On vole pas ses voisins, on vole pas dans sa famille.

Profondément ému par sa propre oraison, les larmes aux
yeux, il contempla ses fils un instant.

– Je sais que les temps sont durs depuis que j'm'ai fait
mal au dos, reprit-il.

Mme Christmas vola fièrement au secours de son mari :

– Et comment qu'vous voulez qui s'y prenne pour faire
un casse avec le dos dans un corset ?

Charles se sentait désolé pour M. Christmas, un homme
qui, souffrant de sa colonne vertébrale, était privé de son
gagne-pain. Il s'éclaircit la gorge. La famille Christmas
tourna les yeux vers lui. Charles se lança :

– Selon vous, monsieur Christmas, qui est à blâmer pour
cette détérioration de la moralité dans les classes crimi-
nelles ?

Christmas n'avait pas compris la question, par conséquent il agita vaguement le presse-purée en direction de la
fenêtre du séjour et, plus loin encore, de la rue.

– La Société ! approuva Charles avec véhémence. Je suis
totalement d'accord avec vous. L'abandon des exigences
éducatives et… euh… l'inégalité entre les riches et les
pauvres…

Un gros camion passa le long de la fenêtre des Christmas,
occultant la lumière, avant de s'arrêter à la porte voisine.
Charles vit que sa sœur était au volant. Mme Christmas se
rua sur le miroir au-dessus de la cheminée et arrangea ses
cheveux bleus et permanentés. Elle jeta son tablier dans un
coin et échangea ses pantoufles contre des sandales
blanches à semelles compensées. Elle se tourna vers son
mari et ses six garçons et leur demanda :

– Alors, qu'est-ce vous y dites quand vous la voyez ?

Sept voix sonores répondirent en chœur :

– Bonjour, Votre Royale Altesse. Bienvenue à Hell Close.

– C'est bien, approuva Mme Christmas, haletante, je suis fière de vous.

Charles dit :

– Madame, j'ai de mauvaises nouvelles pour vous, je le crains, Lee a récolté deux mois de prison.

Mme Christmas soupira et s'adressa à son mari :

– Faudra que tu manges sa côtelette, tu pourras en avaler trois ?

M. Christmas rassura sa femme sur le sort de la côtelette de Lee, qui ne serait pas perdue. Et ils processionnèrent tous vers le seuil de la porte où ils s'alignèrent pour regarder Charles souhaiter la bienvenue à sa sœur.

– Atchao ! fit Ann. Dis-donc, quel coin pourri. Et toi, tu as une sale tête. C'est qui, les abrutis à la porte ?

– Ce sont des voisins.

– Seigneur ! On dirait la famille Gremlins.

– Pas du tout, ils se nomment Christmas.

– Voyons, Charles, les *Gremlins*… le film.

– Je n'ai pas…

– Comment va Maman ?

Ann abaissa la rampe à l'arrière du camion et ses deux enfants, Peter et Zara, sortirent en titubant, le visage pâle et l'air malade.

– Bon Dieu, s'écria Ann, je vous avais pourtant prévenu que vous seriez mal à l'arrière, mais il n'y a rien à faire pour que vous écoutiez !

Elle jeta les clés du 7, Hell Close, à Peter en lui demandant d'ouvrir la porte. Elle intima l'ordre à Zara de promener le chien et pria Charles de commencer à vider le camion. Elle secoua le chauffeur, qui s'était endormi sur le siège du passager, et s'avança vers la famille Christmas pour se présenter.

A sa grande stupéfaction, la gremlin femelle et les gremlins mâles la saluèrent d'une voix de gremlin :

– Bonjour, Votre Royale Altesse. Bienvenue à Hell Close.

Elle serra les huit mains en précisant :

– Mon nom est Ann, et tout le monde m'appelle ainsi, vu ?

Mme Christmas manqua s'évanouir de plaisir et se lança dans une révérence, pliant ses gros genoux et inclinant la tête. Mais, au moment où elle se relevait de sa génuflexion devant la princesse, elle eut le désagrément de constater que cette dernière lui rendait sa révérence, à elle, Winnie Christmas. Elle ne sut que faire, complètement désorientée. Cela voulait dire quoi ? Se foutrait-elle de sa gueule, par hasard ? Mais non, elle avait l'air vachement sérieuse. Comme si Winnie était quelqu'un d'aussi important qu'*elle*, si vous voyez ce que je veux dire.

La Reine se précipita dans la rue aussitôt qu'elle entendit le camion d'Ann. Elle se jeta dans les bras de sa fille avec une passion inhabituelle.

– Je suis tellement contente de te voir, lui dit-elle.

Charles restait debout près d'elles. Il se sentait stupide et inutile. Ann distillait un quelque chose qui l'avait toujours rendu... il hésita sur le mot... nigaud ? Non. Affecté ? Oui, c'était plutôt ça. Contrairement à lui, elle détestait les spéculations, préférant les solutions pratiques, terre à terre. Dans le passé, elle s'était souvent moquée de ses recherches dans le domaine de la spiritualité, de son désir de trouver un sens à la vie. Il se sentit terriblement seul. Trouverait-il une âme sœur, ici, à Hell Close ?

Le pavillon d'Ann ressemblait à peu près à tous les autres dans la rue mais, comme il était situé en angle, il disposait d'un jardin nettement plus grand, envahi par les ronces. La maison était sale, humide et froide, mais Ann s'en déclara fort satisfaite.

– On a un toit au-dessus de nos têtes, ça vaut mieux que d'être aligné contre un mur et fusillé.

Elle réquisitionna les fils Christmas, Craig, Wayn, Darren, Barry, Mario et Englebert, pour vider le camion.

Mme Christmas expédia M. Christmas acheter un flacon de Tide, une serpillière et un seau en plastique. En attendant son retour, Ann et elle balayèrent les crottes de souris sur le sol.

Peter et Zara furent conviés à regarder la télé, chez les Christmas, sur leur écran géant. En entrant dans le séjour, ils ne purent réprimer un froncement de nez. Sonny, un énorme chat noir, était couché sur un pull en acrylique, dans une boîte en carton. Il était vieux et incontinent mais, comme Mme Christmas l'expliqua aux enfants :

– J'vais quand même pas l'foutre en l'air parce qu'y pue ? (Elle caressa la tête galeuse de Sonny.) Tu veux crever à la maison, pas vrai ?

Les enfants l'approuvèrent faiblement. La famille Christmas était terriblement commune mais, au moins, on y aimait les animaux. Ils ne pouvaient donc être complètement mauvais. Ils avaient vu leur mère pleurer ce matin, au moment de dire adieu à ses chevaux. Ils avaient essayé de la consoler, mais elle les avait repoussés en disant : « C'est toujours une erreur que de trop s'attacher aux bêtes. »

Zara retint sa respiration, se glissa près du panier de Sonny et lui arrangea son pull trempé d'urine pendant que Peter se livrait à un zapping d'enfer à travers les trente-six chaînes de la télévision câblée. Sonny clignait de ses yeux malades à chaque passage d'une chaîne à l'autre. Ses narines lui disaient qu'il y avait de la souris dans l'air, mais il n'avait plus assez de force pour sauter hors de sa boîte et accomplir son devoir.

Pendant ce temps, les rongeurs folâtraient dans un trou du mur mitoyen, attendant que les provisions d'Ann soient déballées et installées dans le placard.

Spiggy fit son apparition dans l'espoir de couper les tapis d'Ann. Mais elle n'avait pas besoin de ses talents. Contrairement aux autres, elle avait pris les instructions de Jack Barker au pied de la lettre. Ses carpettes et son mobilier étaient modestes, en style et en taille. Mme Christmas, qui s'attendait à un luxe au-delà de ses rêves les plus fous, fut

cruellement désappointée. Où étaient les assiettes d'or et
d'argent ? Les rideaux de velours ? Les lits à baldaquin
ornés de tentures en brocart ? Et où se trouvaient ces fantas-
tiques robes du soir et tiares de diamants ? La garde-robe
d'Ann consistait en pantalons, jeans, vestes couleur de mare
boueuse. Mme Christmas se sentit trahie.

– C'est vrai ça, confia-t-elle plus tard à son mari, alors
qu'elle épluchait cinq kilos de patates pour leur dîner. A
quoi que ça leur sert d'être la famille royale, s'y sont juste
des gens comme nous ?
– Chais pas, répondit M. Christmas en installant dix-neuf
minuscules côtelettes d'agneau sur un gril crasseux, mais y
sont pus la famille royale, c'est p't-êt' ça l'histoire…
De la maison voisine on entendait des explosions dans la
tuyauterie. L'ex-princesse royale essayait de mettre en
marche sa machine à laver à l'aide de la boîte à outils de
Tony Threadgold et du guide pour bricoleurs débutants du
Reader's Digest.

Harris courait si vite qu'il pensa s'en faire éclater le cœur et les poumons. Devant lui cavalait la harde : le chef, King, un bâtard de chien-loup ; Raver, le sous-chef ; Kylie, la chienne de la harde ; et Lovejoy, Mick et Duffy, des chiens de rang ordinaire comme lui. King s'arrêta net et leva la patte contre le mur du Centre communautaire. Les autres s'assirent en attendant que Harris les rejoigne. Puis, après un bref combat pour rire, ils s'élancèrent à nouveau, cette fois en direction du terrain de jeux. Harris courait à la hauteur de Duffy, de mère terrier irlandais et de père inconnu. Duffy était un bon guetteur, Harris l'avait vu en action.

King conduisit la harde sur la chaussée, ce qui provoqua un hurlement de freins de la camionnette de la soupe populaire. Harris suivit. On lui avait appris à attendre assis au bord du trottoir mais il pensa qu'il perdrait toute crédibilité aux yeux de la bande s'il se laissait aller maintenant. Un vrai dur ne regarde ni à gauche ni à droite. En sécurité sur le trottoir, il se retourna et montra les dents à la conductrice du véhicule, une femme d'âge moyen et d'allure affable. Puis Raver aboya et les voilà repartis, cavalant dans la direction de l'aire réservée aux enfants, où les installations étaient en miettes et le sol en ciment recouvert de bouts de verre et de papiers gras.

Lovejoy, le labrador un peu simplet, et Mick, un croisé de collie et de grey-hound, reniflèrent Kylie, qui courut chercher la protection de King. Mick mordilla la queue de Lovejoy, qui lui fit subir le même traitement et, deux minutes plus tard, les deux chiens se roulaient par terre dans un ballet hargneux et grondant. Harris souhaita ne pas avoir à prendre parti. Il n'avait aucune expérience du combat de rue. Il avait été tenu en laisse la plus grande partie de sa vie. En voyant King et Raver se jeter dans la bagarre, il réalisa à quel point il avait mené, jusqu'à maintenant, une existence protégée à l'extrême. Soudain, pour une raison que Harris ne put se figurer, le combat cessa et les deux chiens s'assirent pour lécher leurs plaies.

Harris était étendu sur l'herbe auprès de Kylie. C'était une fort jolie chienne, une cross-collie couleur de miel. Certes, un bon toilettage ne lui aurait pas fait de mal, ses poils étant recouverts de boue, néanmoins sa présence était très excitante. Jusqu'à présent, Harris n'avait jamais été autorisé à se croiser avec une personne de *son* choix. Toutes ses précédentes liaisons avaient été arrangées par la Reine. Il pensa qu'il était grand temps de mettre un peu de romance dans sa vie.

Il se rapprochait de Kylie lorsque King sauta sur ses pieds, dressa ses oreilles et fixa l'extrémité du terrain de jeux où un chien étranger venait de faire son apparition. Harris reconnut immédiatement l'intruse. C'était Susan, sa demi-sœur. Elle trottait à petite distance devant Philomena Toussaint et la Reine-Mère, qui se baladaient bras dessus, bras dessous dans le soleil printanier. Harris n'avait jamais aimé Susan. C'était une snob et, en plus, il était jaloux de sa garde-robe fantaisie. Il n'y avait qu'à la regarder, maintenant, avec son manteau écossais de chochotte. De quoi elle avait l'air ! Harris saisit l'opportunité qui lui était offerte de rehausser son statut dans la harde ; il quitta les autres et courut vers Susan en aboyant comme un furieux. La petite chienne tourna les talons et fila se mettre à l'abri auprès de la Reine-Mère, mais elle ne faisait pas le poids avec Harris ; il sauta sur elle et lui mordit méchamment le nez. La Reine-Mère frappa Harris avec sa canne en criant : « Va-t'en, Harris, horrible petit chien ! »

Il battit en retraite non sans avoir reçu derrière l'oreille un petit caillou lancé par Philomena, mais il ne sentit même pas la douleur. Les preuves de considération de la harde étaient autrement plus gratifiantes. Il eut le droit de galoper derrière Raver en direction des poubelles du Fish and Chips, qui recelaient souvent d'excellents restes de poissons.

Lorsque Harris regagna la maison, le même soir, sentant le poisson, couvert de boue, du sang séché derrière l'oreille, la Reine lui dit :

— Tu n'es rien qu'un hooligan puant, Harris !

Il pensa : Eh là ! Je vais quand même pas supporter ça ! Je suis le numéro trois de la harde, maintenant, ma vieille. Il se mit à arpenter la cuisine avec désinvolture en attendant sa nourriture. Mais son bol demeurait vide. La Reine le prit par la peau du cou et l'emporta dans la salle d'eau. Elle ferma la porte, ouvrit les robinets, vida le reste de ses sels de bain Crabtree and Evelyn dans la baignoire et, lorsqu'elle la jugea suffisamment pleine, elle immergea un Harris hurlant d'indignation dans la mousse odorante.

Dans la salle de bains d'à côté, Beverley Threadgold demanda à son mari :

— Tonio, qu'est-ce qu'elle fabrique avec c'te pauv' bête ?

— Elle l'égorge, j'espère.

Harris utilisait le jardin des Threadgold en guise de toilettes.

— En tout cas, dit Beverley en se redressant dans sa nudité adorable, il est temps que tu viennes faire trempette…

15

Le lendemain soir, la Reine enjamba la barrière brisée et sonna à la porte d'entrée des Threadgold. Quelques notes d'*Are you lonesome tonight ?* carillonnèrent dans la maison. Beverley ouvrit la porte, vêtue d'un pyjama en velours synthétique bordeaux avec un volant blanc aux poignets et aux chevilles. Elle était pieds nus et la Reine remarqua que ses ongles de pied étaient d'une curieuse couleur tirant sur le jaune.

La Reine sortit un billet de cinq livres :

– Je viens vous rendre l'argent que votre mari m'a si gentiment avancé : les trajets en autobus et le compteur à gaz.

– Entrez, proposa Beverley en précédant la Reine jusqu'à la petite cuisine.

C'était la première fois qu'Elizabeth entrait dans la maison. Elvis Presley était partout ; en photo sur le mur ; en effigie sur des assiettes, des tasses et des coupes rangées sur les étagères. Sur des torchons étendus sur un séchoir suspendu. Sur un tablier accroché derrière la porte. Les rideaux de la cuisine arboraient le visage de la vedette. Le tapis de caoutchouc, sous les pieds de la Reine, montrait Elvis dans sa légendaire exhibition pelvienne.

Tony Threadgold écrasa sa cigarette dans l'œil gauche d'Elvis et se leva d'un bond quand la Reine entra. Elle lui tendit le billet de cinq livres.

– Je vous suis très reconnaissante, monsieur Threadgold. Ma mère a finalement retrouvé son porte-monnaie dans le four à gaz.

Tony ôta une pile de slips à l'effigie d'Elvis d'un tabouret et proposa à la Reine de s'asseoir. Beverley remplit la bouilloire aux armes du héros de Memphis. La Reine dit :

– Je vois que vous êtes des fans d'Elvis Presley.

Les Threadgold admirent que tel était le cas. Le thé à peine avalé, ils conduisirent la Reine dans le living pour lui faire admirer les pièces les plus précieuses du sanctuaire Presley. L'œil d'Elizabeth fut attiré par une vilaine peinture à l'huile représentant deux enfants, au-dessus de la cheminée. Elle demanda de qui il s'agissait. Il y eut un petit silence puis Tony dit :

– C'est Vernon et Lisa, nos enfants. On a pensé que ça valait le coup de faire faire leur portrait. Ça prendra de la valeur dans quelques années.

La Reine était surprise. Elle avait cru que les Threadgold n'avaient pas d'enfants, expliqua-t-elle.

– Si, dit Beverley, nous avons des enfants, mais on nous les a pris.

– On ? fit la Reine.

– Les services sociaux, ça f'ra bientôt dix-huit mois.

Ils se serrèrent l'un contre l'autre en contemplant les beaux visages peints de leurs enfants. La Reine n'eut pas envie de leur poser des questions et, comme ils ne fournissaient pas d'explication, elle se leva, les remercia pour le thé et prit congé. Tony l'accompagna dehors et attendit qu'elle fût en sécurité à sa propre porte. En sortant sa clé, la Reine s'adressa à lui, par-dessus la barrière :

– Je suis sûre que Mme Threadgold et vous-même êtes d'excellents parents.

– Merci, dit Tony.

Il referma sa porte et rentra consoler sa femme.

La Reine monta les escaliers et entrouvrit de quelques centimètres la porte de la chambre à coucher. Son mari était couché sur le côté. Il ouvrit les yeux et la regarda avec une telle expression de désespoir qu'elle avança vers le lit et saisit sa main sale.

– Philip, qu'y a-t-il ?

— J'ai tout perdu, dit-il. Quel intérêt de vivre ?

— Qu'est-ce qui vous manque le plus, mon chéri ?

La Reine caressait la joue rugueuse de son époux. Mon Dieu qu'il a l'air *vieux*, aujourd'hui, songea-t-elle.

— Toutes ces foutues choses me manquent : la chaleur, le confort, la beauté, les voitures, les domestiques, la nourriture, l'*espace*. Je ne peux pas respirer dans cette horrible boîte en forme de maison. Mon bureau me manque, et le train royal et l'avion et le *Britannia*. Je n'aime pas les gens de Hell Close, Lilibet. Ils sont affreux. Ils ne savent pas parler correctement. Ils sentent mauvais. J'ai peur d'eux. Je refuse de me mêler à eux. Je resterai au lit jusqu'à ma mort.

Il parle comme un *enfant*, pensa la Reine.

— Je fais chauffer une boîte de soupe, en désirez-vous un peu ?

— Pas faim, gémit Philip en lui tournant le dos.

La Reine descendit préparer son dîner. Comme elle tournait la cuillère dans la casserole, elle entendit les sanglots déchirants de Beverley Threadgold, de l'autre côté du mur. Elle se mordit les lèvres mais une larme de compassion coula sur sa joue et tomba dans la casserole. Elle s'empressa de faire disparaître la preuve de son manque de contrôle en tournant plus vivement la soupe. Au moins, je n'aurai pas besoin d'ajouter de sel, pensa-t-elle. De plus, il n'y avait pas de témoin. Harris, affamé après sa course de dix kilomètres en compagnie de la harde, grattait à la porte. Elle n'avait pas eu de quoi acheter de la nourriture pour chiens, aussi versat-elle un peu de soupe dans l'écuelle. Elle y émietta une tranche de pain rassis afin de l'épaissir.

Harris contempla le tout avec répugnance. Qu'est-ce qui se passait ici ? Sa vie sociale s'était nettement améliorée mais la nourriture devenait une vaste plaisanterie ! La Reine promit :

— Je t'achèterai des os demain, Harris. Maintenant, mange ta soupe et ton pain pendant que je mange les miens.

Harris la regarda avec une malveillance qu'elle ne lui avait jamais connue auparavant. Il fit entendre un grogne-

ment d'arrière-gorge, ses yeux se rétrécirent, il montra les
dents et s'approcha des fines chevilles de la Reine. Elle lui
donna un coup de pied avant qu'il ne la mordît. Il se réfugia
sous la table de la cuisine.

— Ta conduite est intolérable, Harris. A partir de maintenant, je t'interdis de fréquenter cette bande d'affreux
voyous. Ils ont sur toi une influence déplorable. Dire que tu
étais un si gentil petit chien !

Harris fit la moue comme un ado renfrogné. Il n'avait
jamais été un gentil petit chien. Les valets de pied le détes-
taient et il avait adoré les embêter, emmêlant sa laisse, levant
la patte dans les corridors ou renversant son bol. Et ce
n'était rien à côté de sa manie de les choper sournoisement
aux chevilles. Il avait exploité à fond sa position de favori
de la Reine. Fut un temps où tout lui était permis. Jusqu'à
ce soir. Il décida qu'il serait de bonne politique de traîner à
la maison pendant quelques jours, demander pardon à la
Reine, redevenir un gentil petit chien. Il sortit de son refuge
derrière la porte et se mit à laper poliment sa soupe.

16

Aux premières heures du jour, Marilyn, la concubine du prisonnier Lee, donna naissance à leur premier enfant. Violet Toby servit de sage-femme. On l'avait envoyé chercher dès que Marilyn avait perdu les eaux. Cette dernière n'avait pas choisi d'accoucher à domicile. Elle attendait même avec impatience ses trois jours à la maternité. Mais, par suite d'une erreur de l'ordinateur, l'ambulance s'égara dans le dédale de la Cité des Fleurs. Quand Violet réalisa que l'arrivée du bébé était imminente, elle regarda par la fenêtre afin de savoir qui était encore debout à Hell Close. Un rayon de lumière filtrait à travers les rideaux de velours de la Reine. Violet rassura Marilyn qui criait de douleur, l'informa qu'elle partait chercher de l'aide et courut frapper à la porte de la Reine.

A travers ses rideaux, celle-ci aperçut Violet Toby en robe de chambre en chenille de coton rouge foncé et chaussures de tennis. Elizabeth, aux prises avec un puzzle, cherchait à placer un morceau du ciel de Balmoral. Au moment où elle se levait pour répondre à la porte, elle vit où le morceau manquait et elle le posa au bon endroit.

– J'ai b'soin d'un coup d'main, haleta Violet, l'bébé d'Marilyn arrive et y a personne dans la baraque qu'un abruti d'ado…

La Reine protesta qu'elle n'avait aucune expérience du métier de sage-femme, qu'elle serait donc inutile voire gênante, mais Violet insista tant et si bien qu'elle finit par la suivre à contrecœur jusqu'à la chambre de la parturiente.

L'abruti d'ado, le fils d'une précédente liaison de Lee, se tenait auprès de la jeune femme avec, à la main, un torchon humide, un morceau de tissu gris et douteux qu'il avait pris directement dans l'évier sans même le rincer.

— J't'ai dit un *gant de toilette*, grand connard ! hurla Violet en l'expédiant en direction de la salle de bains. Et essaie de dégotter des draps propres !

— Y en a pas de prop' ! hurla-t-il à son tour, du haut des marches.

Marilyn se contorsionnait sur le sofa lustré de gras et encombré de vêtements en attente d'une lessive. Violet se débarrassa des habits puants, installa Marilyn sur le dos et lui retira ses pantalons. La Reine avait vu suffisamment de westerns pour savoir que l'on aurait bientôt besoin d'eau chaude et elle partit dans la cuisine pour dénicher une bouilloire et une cuvette propres. La pièce offrait le spectacle de la saleté absolue. Il était évident que la personne chargée de l'entretenir y avait renoncé, et depuis un bon moment.

Elle ne put se résoudre à toucher les objets tant ils étaient enduits de graisse et de crasse. Ses chaussures collaient au carrelage dégoûtant. Il n'y avait pas de bouilloire, seulement une vieille casserole noircie posée sur un évier incrusté de gras.

Comme elle s'apprêtait à repartir, ses yeux furent attirés par une tache de couleur vive et gaie. Sur une étagère en hauteur, comme hors de portée de la misère, quelqu'un avait déposé trois brassières – jaune, turquoise et verte. La Reine se dressa sur la pointe des pieds et fit tomber l'emballage. Pour quelle raison la vue de ces brassières lui serrait-elle la gorge ?

— Je vais chez moi, dit-elle.

— Ne m'laissez pas maintenant… Y sera là dans une minute… la supplia Violet.

Marilyn hurlait à chaque contraction : « Lee ! Je veux Lee ! »

— Je reviens tout de suite, promit la Reine.

Elle courut jusqu'à la maison et y prit des draps de lin,
des serviettes, des oreillers, une bouilloire en argent, des
tasses et leurs soucoupes, du thé et du lait, une grande
coupe de porcelaine du quinzième siècle et une layette qui
avait appartenu à son arrière-grand-mère, la reine Victoria.
Elle l'avait apportée avec elle de Buckingham Palace parce
qu'elle savait que Diana désirait une fille.

Philip se retourna dans son lit pendant qu'elle fouillait
dans la chambre pour trouver la boîte contenant la layette.
Comme il avait l'air misérable, songea-t-elle. Elle commençait à saisir à quel point il était facile de sombrer dans un tel
état et combien ce devait être difficile d'en sortir.

Violet et elle lavèrent et déshabillèrent Marilyn, la glissèrent dans l'une des chemises de nuit de la Reine, recouvri-
rent le sofa de draps blancs et préparèrent l'arrivée du bébé.
La coupe de porcelaine fut remplie d'eau bouillie, la layette
placée sur le radiateur, et l'abruti d'ado fut requis pour servir le thé dans les tasses royales, en porcelaine de Doulton.

— Casse-moi ces tasses et j'te pète ta gueule d'abruti,
menaça Violet.

La Reine tapissait une boîte en carton peu profonde avec
des serviettes et des taies d'oreillers.

— C'est comme quand on jouait à la poupée, dit-elle à
Violet. Je dois dire que c'est plutôt amusant…

— Faudra qu'on nettoye ce trou à merde quand Marilyn
ira à l'hosto. C'est quand même une pauv' chatte. Faudra y
filer un coup d'main. Laver ses fringues, ach'ter des trucs
pour le bébé, ranger c'bordel.

— Je pense qu'elle est trop déprimée pour se prendre en
charge elle-même, n'est-ce pas… constata la Reine. Je
connais quelqu'un dans une situation similaire.

— J'vais écrire à mon député pour c'te putain d'ambulance, promit Violet tout en surveillant si le bébé montrait
sa tête, j'trouv'rai bin qui c'est et j'lui écrirai. C'est dégueulasse. J'suis trop vieille pour tout c'merdier.

Pourtant, les mains qui manipulaient le corps de Marilyn
étaient fermes et assurées et la Reine était impressionnée de

constater à quel point Marilyn suivait les instructions : pousser, respirer, s'arrêter.

— Vous avez fait des études d'infirmière, Violet ? demanda-t-elle, tout en stérilisant les ciseaux à la flamme du brûleur à gaz.

— Non, on f'sait des études de rin, chez moi. J'aurais pu avoir une bourse mais c'était pas possible d'aller au lycée (Violet rit à cette idée), on avait pas d'quoi s'payer l'uniforme et fallait que j'ramène des sous à la maison.

— C'est injuste, dit la Reine.

Marilyn cria :

— Violet, c'est horrible, ça m'fait mal !

Violet lui essuya le visage avec un gant de toilette monogrammé, blanc comme neige, puis elle observa l'intérieur de ses cuisses et déclara :

— J'vois d'jà sa p'tite tête. Y va bientôt s'am'ner. Tu vas pouvoir l't'nir dans tes bras.

Leslie Kerry Violet Elizabeth Monk vit le jour à deux heures et dix minutes. Elle pesait cinq livres et six onces[1].

— A peine plus qu'un filet de patates, constata Violet en se préparant à couper le cordon.

La Reine était en extase devant le bébé qui reposait sur le ventre de Marilyn comme un galet rose sur une plage blanche. Violet demanda à Elizabeth d'enrouler le bébé dans un linge et de lui laver le visage. Quand elle se fut exécutée, l'enfant ouvrit ses paupières et la fixa avec des yeux du même bleu saphir que la broche offerte par ses parents lors de la naissance de Charles.

La Reine donna Leslie à Marilyn, qui était folle de joie que la douleur ait cessé et que le bébé ne soit pas « déformé ou un truc comme ça ». L'abruti d'ado fut remercié d'une manière exagérée sous le prétexte qu'il avait préparé une seconde fois du thé sans qu'on le lui ait demandé. Leslie fut

1. La livre anglaise vaut 453,592 grammes, et l'once un seizième de livre, soit 28,35 grammes. Leslie Kerry Violet Elizabeth pèse donc 2,453 kilogrammes… plus ou moins.

installée dans le berceau-boîte en carton pendant que les trois femmes sirotaient le liquide orangé.

Toujours aussi abruti, l'ado ouvrit la porte à trois gamins vêtus de tee-shirts et de slips malpropres.

– Y veulent voir le bébé, dit-il, tu les as réveillés en braillant.

– C'est une fille, annonça Marilyn à ses faux beaux-enfants. Je l'ai appelée Leslie à cause de vot' papa.

La Reine lava les mains et les visages des trois marmots. Ils furent autorisés à tenir le bébé dans leurs bras, chacun leur tour. Puis elle les fit recoucher et borda les couvertures en loques du grand lit dans lequel ils dormaient tous ensemble.

Sur le palier, elle se trouva face à face avec son propre visage : une page arrachée à un magazine et fixée au mur avec du scotch orné de guirlandes. La photographie la montrait dans toute sa splendeur – un jour d'ouverture du Parlement. Elle jeta un bref coup d'œil dans les chambres et la salle de bains. L'odeur infecte de la pauvreté et du désespoir emplit ses narines, sa bouche, et s'attacha à ses vêtements comme une peau visqueuse. J'espère qu'on s'habitue à cette odeur au bout d'un moment, pensa-t-elle en descendant l'escalier pour ouvrir la porte à un ambulancier confus et qui avait enfin trouvé Hell Close.

Marilyn et Leslie furent installées sur un fauteuil roulant et hissées dans l'ambulance. La layette de la reine Victoria était posée sur les genoux de Marilyn, dans un sac en plastique de Woolsworth.

– Essaie un peu de quitter la baraque... dit Marilyn sur un ton menaçant à l'abruti d'ado qui, de fait, s'apprêtait à filer. Pas question de t'barrer chez tes copains faire des parties d'défonce et d'laisser les petits tout seuls. On viendra voir tout à l'heure si t'es bien là...

Il opina du chef sans aucun enthousiasme et rejoignit son lit ravagé.

Violet empaqueta le placenta dans un journal, à la manière dont un assistant-boucher efficace envelopperait une commande de mou pour le chat. Puis, en procession solennelle, la Reine et elle sortirent dans le jardin, où elles fabriquèrent un petit feu de bois pour brûler le paquet. Elles papotèrent tranquillement en attendant que les flammes aient totalement consumé le placenta.

La Reine s'était rarement sentie aussi proche de quelqu'un auparavant. La lumière du feu invitait aux confidences. Violet était vulgaire et s'habillait de manière provocante, mais elle possédait une force intérieure que la Reine admirait, et même enviait. Les deux femmes en vinrent à évoquer les angoisses que leur avaient causées leurs enfants. La Reine avoua à Violet que, depuis son installation à Hell Close, elle n'avait pas entendu parler de ses deux plus jeunes fils, Andrew et Edward, qui se trouvaient à l'étranger.

– Je suis affreusement inquiète, confia-t-elle.

– Les salauds d'égoïstes, fit Violet d'un ton méprisant, vous les verrez rappliquer quand ils auront besoin de quéque chose.

– Et dire que je pensais, soupira Elizabeth en agitant les tisons, que lorsqu'ils auraient dix-huit ans je cesserais de m'occuper d'eux autrement que sur le plan financier.

– Ben merde, ça risque pas, dit Violet.

Elles restèrent ainsi à tisonner le feu jusqu'à ce qu'il s'éteigne. Chimères, chimères, labeur et peine, songeait la Reine.

Lorsqu'elle rentra chez elle, elle eut un regard pour sa maison propre et bien rangée et éprouva de la reconnaissance de la voir aussi confortable. Et si je deviens sérieusement handicapée, songea-t-elle, il y aura toujours Violet Toby pour m'aider. Elle s'endormit et rêva qu'elle décorait Violet de l'Ordre de l'Empire britannique pour services rendus à l'humanité.

17

La Reine mangeait ses corn flakes devant la télévision. Un seul pétale de maïs tomba de sa bouche sur la carpette. Harris s'en empara immédiatement. Elle se dit : Mon Dieu, Harris, je commence à me conduire d'une manière totalement *répugnante*. Son attention fut attirée par une querelle bruyante qui avait éclaté dans le studio télé. Jack Barker et la géniale présentatrice du programme se disputaient au sujet de la santé de la livre sterling.

– Mais monsieur Barker, la livre est désespérément affaiblie. Elle est encore tombée depuis la nuit dernière…

Elle fixait le Premier ministre d'un regard en vrille.

Vraiment, pensa la Reine, à l'entendre, on dirait que la livre a essayé de se suicider en se jetant du haut d'un immeuble.

Jack eut un sourire qui se voulait rassurant :

– Mais, grâce aux mesures que nous avons prises, la livre se remet et entre en convalescence…

La Reine imagina la livre languissante dans un lit d'hôpital, sous transfusion et monitoring, entourée de médecins anxieux et de conseillers financiers.

La présentatrice se tourna vers la caméra et annonça :

– Et maintenant, la météo.

La Reine partit dans la cuisine pour laver son bol et sa cuillère.

Plus tard, dans la matinée, une violente altercation se produisit entre Violet Toby et Beverley Threadgold.

Beverley voulait savoir pourquoi on ne l'avait pas réveillée pour officier lors de la délivrance de sa sœur. Des mots horribles furent échangés de part et d'autre. Violet accusa Beverley d'avoir négligé Marilyn durant sa grossesse. « Tu peux m'dire la dernière fois qu't'es rentrée dans la maison puante de ta frangine ? » interrogea Violet. Derrière sa porte fermée, la Reine assistait à l'algarade. Les deux antagonistes hurlaient chacune depuis le pas de sa porte. Il n'était pas difficile d'entendre ce qu'elles disaient, les deux possédant des voix semblables à des sirènes de brume à leur maximum. Les habitants de Hell Close sortirent de leurs maisons pour assister à l'empoignade verbale. C'était rare d'avoir une bonne engueulade publique au printemps. La période des vacances d'été était le moment traditionnel, quand les journées étaient longues, que les gamins se querellaient pour un oui ou pour un non : les mères se montraient irritables et désireuses de voir arriver le retour de l'école.

Alarmée, la Reine entendit prononcer son nom. Beverley hurlait : « C'est juste que tu voulais êt' seule avec la Reine ! » Violet brailla : « Chuis pas une snob, moi ! C'était la seule qu'était d'bout et elle s'affole pas. C'est pas comme *toi*, Beverley Threadgold, à tourner de l'œil dès qu'tu vois une goutte de sang ! »

La Reine s'éloigna de la porte, peu désireuse d'entendre d'autres propos la concernant. C'était vrai. Elle avait toujours exercé un très fort contrôle sur elle-même. Serait-elle enterrée sans avoir une seule fois craqué nerveusement ? Valait-il mieux s'en tenir fermement aux règles strictes de l'éducation : bonnes manières, contrôle de soi et autodiscipline, ou se conduire comme on le *ressentait*, par exemple hurler dans la rue comme une horrible mégère… ?

Une fois, lorsqu'elle avait treize ans, elle avait roté à un dîner organisé en l'honneur de l'ambassadeur de Hongrie – un rot parfaitement audible, qui avait été diplomatiquement ignoré par les autres dîneurs distingués. Elle avait minimisé le rot devant Crawfie : « Après tout, mieux valait qu'il sortît plutôt que de rester à l'intérieur. » « Non, non,

Lilibet, avait rétorqué Crawfie, il est toujours préférable que *tout* reste à l'intérieur. »

Que ressent-on lorsqu'on ouvre sa bouche et qu'on *crie* ? Debout au-dessus de son évier, la Reine poussa un cri, léger et expérimental. Il lui sembla entendre le grincement d'une charnière mal huilée. Elle se lança une nouvelle fois. « Aaaaaaah ! » C'était déjà mieux. Encore une fois. « Aaaaaaaaaa ! ! ! » Sa gorge s'ouvrit en grand et elle sentit le cri dilater ses poumons, remonter le long de son larynx et rugir dans sa bouche, comme celui du lion britannique. A ce cri, Philip se réveilla, des gens se précipitèrent vers la maison, Harris s'aplatit par terre en couchant ses oreilles, dans le jardin les oiseaux s'envolèrent, paniqués, et les vers de terre s'enfoncèrent plus profond dans leurs trous.

Le cri détourna l'attention de la bagarre dans la rue et l'envoyé du service d'aide sociale hésita avant d'ouvrir la porte de la rue et de s'engager dans l'allée. Que se passait-il encore ? Avait-on assassiné la Reine ? Est-ce qu'il avait bien sur lui les formulaires de déclaration de décès ?

Elizabeth ouvrit la porte et assura ses voisins qu'elle était parfaitement bien. Elle avait marché sur un clou alors qu'elle circulait sans chaussures. Les yeux de chacun s'abaissèrent vers ses solides Wellington vertes. L'homme de l'aide sociale se fraya un chemin dans la foule sceptique et se présenta :

– Je suis David Dorkin, de l'AS. On m'envoie fixer le montant de votre pension.

La Reine le conduisit jusqu'au living et l'invita à s'asseoir sur le sofa de Napoléon en lui conseillant d'éviter la partie qui tenait grâce aux clous. Dorkin ouvrit son attaché-case en métal et se mit à en sortir des formulaires qu'il étala sur le couvercle refermé. Il se sentait nerveux. Qui ne le serait ? Il n'arrivait pas à remettre la main sur son stylo. La Reine alla jusqu'à son bureau et lui tendit un stylo à plume en or massif qui valait deux fois son salaire annuel. Il dit :

– Je n'utilise pas de stylo à plume !

En dévissant le bouchon, il avait vu les incrustations de

petits diamants. C'était une trop grande responsabilité. Et s'il l'abîmait ? On pourrait réclamer beaucoup d'argent à l'assurance. Il rendit le stylo, prit une profonde respiration, fouilla dans son anorak beige et finit par trouver son stylo à bille. Avec cet instrument en main, il se sentait plus sûr de lui. Il refusa le café proposé.

– J'aimerais que votre mari soit présent à cet entretien, commença-t-il.

– Mon mari est souffrant, dit la Reine. Il l'est depuis que nous avons emménagé.

– Depuis votre relogement, corrigea Dorkin.

– Depuis que nous avons *emménagé*, répéta la Reine.

Le stylo à bille courait sur la page du carnet de notes de Dorkin.

– Et quelle est votre situation en regard de vos finances personnelles ?

– Nous n'avons pas un penny. J'ai été obligée d'emprunter à ma mère, mais cette dernière n'a plus d'argent non plus. Tel est le cas de toute ma famille. J'ai dû compter sur la charité de mes voisins. Mais il m'est impossible de continuer. Mes voisins sont...

La Reine fit une pause.

– Socialement désavantagés... proposa Dorkin.

– Non, ils sont *pauvres*, dit la Reine, ils sont comme moi, ils manquent d'argent. J'aimerais que vous me donniez de l'argent aujourd'hui, monsieur Dorkin. Je n'ai pas de nourriture, pas de feu et, quand l'électricité s'arrêtera, je n'aurai plus de lumière.

– Lorsque votre demande aura été enregistrée et approuvée, vous recevrez un virement par la poste, pontifia Dorkin.

Comme on était vendredi, la Reine avait espéré que ce jeune homme à la pomme d'Adam proéminente tirerait simplement des billets de banque de son attaché-case et les lui tendrait. Toute sa famille vivait sur ce malentendu, c'est pourquoi ils avaient passé la semaine sans aucune appréhension. Elle essaya de nouveau d'expliquer à Dorkin qu'elle avait un besoin d'argent immédiat : le réfrigérateur était vide, les étagères du placard également.

Le prince Philip vint à sa rescousse sous forme d'une entrée titubante dans la pièce. Il réclama son petit déjeuner et ses verres de contact, se plaignit du froid.

Dorkin fut choqué de la dégringolade de Philip. La veille des élections, il apparaissait à la télévision comme un homme vigoureux, au teint rose et en bonne santé, à l'air arrogant, dans des vêtements impeccables. Dorkin avait du mal à contempler l'épave en face de lui. C'était comme voir son propre père écroulé dans un caniveau. La Reine apaisa Philip en lui promettant du café, le reconduisit au bas des marches et le pressa de se remettre au lit.

Quand elle revint dans le living, elle vit que Dorkin avait commencé à remplir un formulaire. Etait-ce celui mentionné précédemment ? Dans ce cas, il devait être terminé au plus tôt. Il lui fallait nourrir Philip et Harris. Elle-même avait toujours eu un petit appétit, elle s'arrangerait. Mais l'homme et la bête étaient impuissants et dépendaient entièrement de sa capacité à naviguer à travers les eaux tumultueuses de l'aide sociale.

Le formulaire une fois complété, la Reine demanda quand elle recevrait le virement.

– En général, ça demande une semaine, mais comme nous manquons de personnel...

La voix de Dorkin s'était faite traînante.

– Oui ?

– Eh bien, ça peut prendre plus longtemps... neuf ou dix jours...

– Mais comment *exister* sans nourriture pendant dix jours ? Vous ne désirez certainement pas que nous mourions de *faim* ?

Dorkin admit avec une certaine réticence que la mort par privation totale de nourriture n'était pas la politique officielle.

– Il existe, admit-il, une procédure appelée « allocation d'urgence ».

– Et comment obtient-on une « allocation d'urgence » ? demanda la Reine.

– Il faut vous rendre en personne au bureau d'aide sociale, répondit le jeune homme.

Il prévint toutefois qu'au moment même où il parlait la file d'attente s'étendait déjà à l'extérieur du bâtiment. Mais la Reine avait déjà enfilé son manteau. Elle ne supportait pas d'emprunter à ses voisins. Elle noua son écharpe sur sa tête. Comme elle n'avait pas d'argent, elle était obligée d'y aller à pied.

18

Fitzroy Toussaint fut surpris de constater que sa mère ne se trouvait pas chez elle. Il passait chaque vendredi à treize heures et, habituellement, elle l'attendait sur le pas de la porte, quel que fût le temps. Il utilisa sa clé pour pénétrer dans le pavillon. Il était heureux de ne plus être obligé de vivre dans la cité. Après avoir obtenu son bac avec mention, il avait fichu le camp et vivait en banlieue. Nom de Dieu qu'il faisait froid. Il traversa l'étroit couloir jusqu'à la cuisine. Bon, au moins, elle avait plein de nourriture : les étagères tout en haut du placard étaient garnies. Alors pourquoi était-elle aussi maigre ? Elle dépérissait. Ses jambes et ses bras étaient comme des bâtons, pire, des brindilles.

Comme toujours, l'intérieur du pavillon était impeccable, la lingette à vaisselle était pliée en quatre au coin de l'égouttoir. Il jeta un coup d'œil dans la chambre à coucher et vit que le lit était fait et qu'elle avait commencé à tricoter ses cadeaux de Noël pour ses petits-enfants. Cela le réconforta : son arthrite n'avait donc pas empiré. Il inspecta le living et aperçut une note coincée dans le miroir au-dessus du radiateur à gaz fermé. *Fitzroy, je suis à côté avec la reine mère. Viens. Elle et dacor. Je lui ai demander.*

La porte de la Reine-Mère était entrouverte. Fitzroy la poussa et fut accueilli par une bouffée d'air chaud. Il s'arrêta un instant en entendant la voix indignée de sa mère qui racontait une de ses histoires de famille.

– Cette femme était le *diable*, c'est moi qui vous le dis. Ficher le camp et abandonner ses enfants…

La Reine-Mère parvint à l'interrompre :

– Wallis Simpson aussi était diabolique, j'en suis
convaincue. Je ne lui pardonnerai jamais ce qu'elle a fait à
ce pauvre David. Une chose terrible pour nous tous. Abdiquer ! Quelle honte ! Et il savait que mon mari, George, ne
voulait pas être roi – qui aurait désiré l'être avec un tel
bégaiement ? Tous ces discours représentaient une véritable
torture pour lui, et pour moi, donc !

Fitzroy entendit sa mère qui reprenait le dessus.

– Ma tante Matilda, en voilà une autre femme possédée
du démon ! Et portée sur la bouteille, avec ça ! En regardant
bien, on aurait vu l'alcool dans ses yeux…

Fitzroy frappa à la porte du living et entra. Les deux
vieilles dames feuilletaient, chacune pour son compte, leur
album de photos, dévoilant – trop âgées pour se soucier de
l'opinion d'autrui – leurs secrets de famille.

– Salut, Maman ! dit-il.

Il ne fut pas peu surpris lorsque les deux femmes répondirent :

– Salut, Fitzroy !

Sa mère le bombarda de questions comme d'habitude.
Comment allait sa gorge ? Travaillait-il toujours autant ?
Mangeait-il au moins de vrais repas ? Avait-il des nouvelles
de Troy ? Pourquoi avait-il rasé sa moustache ? Il faisait
froid, portait-il son manteau ? S'était-il rendu sur la tombe
de Jethroe ? Désirait-il une boisson chaude ?

La Reine-Mère insista pour qu'il prît le thé avec elles. Il
nota qu'elle se levait de sa chaise avec une grande diffi-
culté. Il lui offrit son bras et elle se laissa aller pesamment
contre lui.

– Rasseyez-vous, ma bonne dame ! cria Philomena, dis-
cutez avec mon fils. Chuis pas si vieille que vous. J'vais
faire le thé.

Elle fonça dans la cuisine comme si elle était chez elle.
La Reine-Mère se rassit et demanda à Fitzroy s'il s'intéres-
sait aux chevaux. Celui-ci se demanda si c'était un piège.
Le jour de ses dix-huit ans, sa mère lui avait fait jurer sur la

Bible qu'il ne mettrait jamais les pieds chez un bookmaker.
Il avait tenu son serment : à vingt et un ans, il avait ouvert
un compte chez Jack Johnson, un service de paris mutuels
par téléphone. Ses gains étaient virés directement sur son
compte en banque mais, tout comme la Reine-Mère, il
n'était jamais rentré dans le bureau d'un bookmaker. Il
s'approcha de la vieille dame et baissa la voix :

— Ouais, ça m'intéresse…

— Sérieusement ?

— Ouais, sérieusement.

— Qui a entraîné Sea Swell, le cheval de mon petit-fils ?

Fitzroy répondit du tac au tac :

— Nick Gasele, pour le trophée du duc de Gloucester. Le
prince Charles a terminé quatrième.

— Oui, et j'ai perdu ving-cinq livres… (La Reine-Mère
sortit de son corsage un billet de cinq livres qu'elle avait
réussi à dissimuler à sa fille et le tendit à Fitzroy.) Sea Mist,
Kempton Park, quatorze heures, ajouta-t-elle, un œil sur la
porte de la cuisine.

— Gagnant ?

— Oui, c'est du sûr. Le terrain est lourd. Il aime le lourd.

Fitzroy sortit un téléphone portatif de la poche intérieure
de son costume Pierre Cardin. Il manœuvra les boutons et
plaça le pari de la Reine-Mère. Juste pour se montrer amical, il mit vingt-cinq livres lui-même sur Sea Mist. Ils
échangèrent des histoires de paris jusqu'à ce que Philomena
revienne avec le thé, et ils se mirent à parler du travail de
Fitzroy ; il était comptable chez un administrateur judiciaire
et s'occupait pour l'instant de régler au mieux la faillite
d'une chaîne de magasins de chaussures. Il promit à la
Reine-Mère de lui procurer une paire de pantoufles en
brocart au prix de gros.

A quatorze heures quinze, le téléphone de Fitzroy sonna.
Philomena lavait à grand bruit la vaisselle dans la cuisine.

— Ouais ?… fit-il tout en regardant la Reine-Mère. You-
pee ! vous avez gagné un petit paquet !

Les yeux de la vieille dame brillèrent d'avidité.

– C'est bon, chuchota-t-elle. Nectarine. Kempton Park. Quatorze heures trente. Vingt livres placé.

Du coup, il retournerait plus tard à son bureau. A quatorze heures trente-cinq, le téléphone sonna de nouveau. Cette fois, sa mère était dans la pièce. Il fit un signe à la Reine-Mère, le pouce tourné vers le bas. Elle comprit aussitôt.

Philomena ramassa son album de photos et ordonna à la Reine-Mère de faire une sieste. Elle-même était fatiguée et avait envie de dormir.

Fitzroy accompagna sa mère jusqu'à sa porte et lui tendit un petit sac en plastique bourré de pièces de cinquante cents.

– Pour le compteur à gaz, lui dit-il. Et tu les utilises !

Il partit en direction de sa voiture d'un pas exceptionnellement léger. Il était heureux d'avoir gagné et que sa mère se soit fait une copine. Bon Dieu, ça lui retirait un sacré poids des épaules. Il appuya sur sa clé et la portière de la voiture s'ouvrit sous l'effet d'un mystérieux phénomène électronique. Il agita la main en direction des deux vieilles dames, qui le saluaient, chacune de la fenêtre de sa maison, et passa la barrière en marche arrière. Il n'aimait pas affronter la police de face. Il n'avait jamais aimé ça.

19

Harris jouait dehors en compagnie de la harde. La Reine observa un temps d'arrêt sur le seuil de sa porte et appela son chien, qui refusa d'obtempérer. Elle se mit à courir dans la rue, criant son nom, très en colère. Une bande d'enfants déboula sur ses talons. Quel troupeau dépenaillé, pensa-t-elle avant de s'apercevoir que parmi ces bêtes sauvages se trouvaient ses petits-fils, William et Harry. Harris courut se cacher sous l'épave calcinée d'une Renault échouée au bord du trottoir. La Reine essaya de le circonvenir à l'aide d'un chocolat à la menthe qu'elle avait retrouvé dans la poche de sa veste en coton huilé, puis elle le menaça de sa laisse. Rien de bien méchant.

Harris accepta la laisse et la Reine s'apprêta à effectuer une marche de cinq kilomètres pour rejoindre la ville. En approchant de la barrière, elle vit que l'agent Ludlow était de service. Il vérifiait le permis de conduire d'un homme de couleur, fort élégant et bien fait de sa personne, au volant d'une Ford Sierra.

La voiture ayant éxécuté un demi-tour pour sortir de Hell Close, la Reine s'approcha de Ludlow et lui demanda pourquoi il avait débité de si honteux mensonges au tribunal. L'agent Ludlow redoutait ce moment. Il n'avait pas dormi depuis trois nuits – le remords le tenant éveillé. Il avait écouté les émissions internationales jusqu'aux petites heures de l'aube sur son poste de radio, dans l'espoir de chasser son crime de sa mémoire. Le parjure constituait un délit plus que sérieux ; il aurait pu perdre son travail. C'était improbable mais, de nos jours…

L'inspecteur Holyland lui avait dicté sa déposition et il l'avait répétée, mot pour mot. Il n'avait pas pensé qu'on le croirait. « Mort aux vaches ! » Il s'attendait à ce que les magistrats, la Cour et le public éclatent de rire à la pensée que le prince de Galles ait pu prononcer ce vieux cliché usé jusqu'à la corde, mais il portait son uniforme, il représentait la Loi, l'Ordre et la Vérité. De plus, l'inspecteur Holyland, bien qu'absent lors des événements, avait fermement confirmé ses propos.

La Reine répéta :

– Pourquoi avoir dit ces mensonges au sujet de mon fils ?

Ludlow répondit :

– J'ai exposé les faits tels que je les ai constatés sur l'instant.

Harris reniflait le bas de son pantalon. Ludlow retira son pied, ce que Harris interpréta comme un geste d'agressivité. Il planta ses crocs dans une chaussette réglementaire de la police, déchirant du même coup la peau sous la chaussette. Ludlow trouva que la Reine mettait un temps excessivement long à éloigner Harris de sa cheville gauche. Il lui tendit une fiche à remplir avant de l'autoriser à quitter Hell Close.

Nom : Elizabeth Windsor
Adresse : 9, Hellebore Close
Heure : 14 h 45
Destination : bureau d'aide sociale de Middleton
Moyen de transport : à pied
Heure de retour approximative : 18 heures

Ludlow ouvrit la barrière et laissa passer la Reine.

Un « faux derche » la suivait à bonne distance. Elle n'allait tout de même pas *marcher* jusqu'en ville ? Il étrennait de nouvelles chaussures. Ses doigts de pied seraient en lambeaux. Déjà qu'ils étaient festonnés d'emplâtres contre les cors. Il en avait marre d'être en civil. Comme il regret-

tait le confort de sa vieille Panda. Il s'appelait Colin Light-
foot et sa mission était de filer la Reine et de faire son rapport à l'inspecteur en chef Holyland.

Elizabeth prenait grand plaisir à marcher bien qu'elle eût
préféré arpenter Holkham Beach, près de Sandringham, ou
les étendues de bruyère à Balmoral. Au moins était-elle
hors de Hell Close et prenait-elle un peu d'exercice. Harris
avait horreur des pavés qui blessaient ses pieds. De plus,
ses petites pattes n'arrivaient pas à suivre le pas vigoureux
de sa maîtresse.

Ils avançaient le long d'une route à quatre voies qui reliait
la Cité des Fleurs au centre ville. La Reine avait parcouru
cette ville autrefois. Elle y avait inauguré un hôpital, visité
une bonneterie et une usine d'industrie légère, le matin.
Puis, après un déjeuner à la mairie, ç'avait été le tour d'une
institution pour vieillards atteints de confusion mentale, où
elle avait échangé des propos épuisants et embarrassés avec
les résidents. L'un d'entre eux, un homme qui bavait, était
persuadé qu'elle était sa mère et qu'on était en 1941 quand
il était encore dans l'intendance. Sur le chemin de la gare
où l'attendait le train royal, elle s'était arrêtée dans un foyer
pour détenus sous probation où elle avait inspecté des dortoirs repeints de frais et une salle de ping-pong nouvelle-
ment ripolinée. Quelques ex-détenus présentables avaient
été autorisés à assister à une remise de bouquet par la fille
du directeur. Elle se demandait maintenant où on avait bien
pu fourrer les moins présentables.

Il se mit à pleuvoir. Un écran de pluie sans interruption et
sans pitié. Elle baissa son écharpe sur son front et se hâta.
Le « faux derche » courait derrière elle en jurant et menaçant du poing les nuages. Comme pour le narguer, une voiture de police passa près de lui, ses occupants en uniforme
bien au chaud et l'air satisfait. Ils conduisaient M. Christmas au commissariat de police de la rue des Tulipes.

La Reine consulta sa montre et accéléra le pas. M. Dorkin
l'avait prévenue que le bureau fermait à dix-sept heures
trente. Il lui avait noté l'adresse sur un morceau de papier

qu'elle sortit de sa poche. *Bureau d'aide sociale* étaient les seuls mots encore lisibles. La pluie pénétrant dans sa poche avait effacé le reste de l'adresse.

Harris essaya de régler son pas sur celui, de plus en plus vif, de la Reine mais, au bout de quelques minutes, il en eut assez et refusa d'aller plus avant. D'abord, il aurait *dû* avoir son imperméable. Il s'était planté ostensiblement devant le portemanteau dans l'entrée. Il avait aboyé, indiquant par là qu'il aurait apprécié qu'on l'habillât. Mais *elle* était bien trop pressée pour faire attention à *lui*, n'est-ce pas ? C'est que Madame n'avait plus un instant pour le nourrir ou lui répéter qu'il était son chéri. Et que dire de toutes ces *violences* physiques. Une fessée par jour, au moins. Elle avait intérêt à faire attention, il n'hésiterait pas à contacter la SPA. Autre chose : il avait un sérieux problème de *puces*. La Reine tira sur la laisse mais il refusa de bouger. Elle tenta de le tirer derrière elle mais il s'assit et se cramponna avec ses griffes. Un passant, trempé comme une soupe, remarqua :

– Faudra lui arracher la peau du cul à vot' chien.

La Reine répliqua :

– Je lui arracherai la peau du *dos* s'il n'avance pas...

Elle le poussa du pied, mais il se mit à glapir comme s'il était à l'agonie et finit par se coucher sur le dos, feignant d'être mort. A travers une paupière entrouverte, il vit la Reine se pencher vers lui, ses yeux remplis d'anxiété et de remords. Alors elle le prit dans ses bras et le nicha contre elle.

Ils continuèrent leur voyage le long de la route à quatre voies dont les trottoirs, loin d'être pavés d'or, n'étaient même pas pavés du tout. La municipalité avait réalisé un important investissement en se portant acquéreur d'un site balayé par le vent à la lisière de la ville pour y établir un parc thématique : un zoo sans animaux. Une compagnie privée avait persuadé les édiles qu'ils éviteraient le désordre, les désagréments et l'odeur liés à la présence d'animaux sauvages en bâtissant une série d'énormes édifices sans

fenêtres. A l'intérieur, une imagerie électronique et un système sonore sophistiqué évoqueraient avantageusement la
faune des différents continents de la planète. Des images
virtuelles sur une très large échelle. On attendait, sur le site
venteux, des millions de visiteurs émerveillés venus de
tous les coins du Royaume-Uni. Un hôtel de cinq cents
chambres était d'ailleurs prévu pour les accueillir. Les
routes secondaires menant au parc seraient élargies en
conséquence. On avait espéré que le zoo électronique serait
inauguré par le prince Philip, en tant que président du
World Wildlife Fund plutôt qu'en sa qualité de tueur de
petits oiseaux et autres animaux divers.

Arrivée au centre ville, la Reine s'assit sur un banc et
reposa Harris sur ses pieds. Il leva la patte pour soulager sa
vessie le long d'une corbeille débordante d'ordures. La Reine
se souvint des chutes du Niagara, dont la cataracte, contrairement à celle de Harris, pouvait être réglée à la commande.

A côté de la Reine était assis un homme dont le nez à vif
portait la trace d'une récente fracture. Il buvait au goulot
d'une bouteille de couleur brune. Après chaque lampée, il
essuyait sa bouche d'un revers de sa main sale, comme pour
effacer la preuve du délit. Il portait le type de chaussures
qu'affectionnaient les danseurs mondains entre les deux
guerres. Harris ayant projeté quelques gouttes d'urine sur ses
souliers, l'homme se leva d'un mouvement gracieux, comme
une jeune fille cherchant à éviter une araignée.

La Reine présenta ses excuses au nom de son chien.

– La p'tite bête y peut rien, hein ? dit l'homme d'une voix
éraillée par de trop nombreux hurlements d'ivrogne. Pis,
faut voir les choses en face, ma p'tite dame, vot' bestiole,
l'aurait pas la force de grimper sur le siège d'un chiotte !

Il s'étrangla littéralement de rire à sa bonne plaisanterie
mais, constatant que la Reine ne montrait aucun signe
d'amusement, il lui administra un léger coup de coude.

– Allez ma belle, déboutonne-toi un peu. T'as l'air aussi
marrante qu'un jour de pluie à Aberdeen... (La Reine
esquissa un imperceptible rictus découvrant ses dents et

l'homme se calma aussitôt.) Savez à qui vous ressemblez ?
A c'te bonne femme qu'est l'sosie d'la reine. Ah mais c'est
vrai qu'vous lui ressemblez... comment qu'alle s'appelle
déjà ?... vous voyez qui j'veux dire. Vous lui ressemblez
plus qu'elle. Vous pourriez vous faire un sacré pognon. Un
sacré paquet d'pognon. Savez pour qui on m'a pris, moi ?

Sa voisine contempla la gueule cassée striée de veinules,
les yeux injectés de sang, les cheveux de vieille étoupe, les
chicots noirâtres.

— Allez allez, dites un peu pour voir, pour qui qu'on m'a
pris ?

— Je n'en ai réellement pas la moindre idée, répondit la
Reine en se détournant de l'haleine empestée.

— Hi, hi, hi (l'homme se tordait de rire), hi, hi, hihihihi,
c'est ça, c'est ça, tout à fait ça, 'zactement comme l'autre !
Jeu n'en ê réhêlleman pâs la mouaindre hidé. 'Zactement
comme elle, la vraie. Elle, j'veux dire. Vous d'vriez passer à
la télé, faire des pubs, chais pas moi... *Jeu n'en ê réhêlleman pâs la mouaindre hidé.* (Son rire résonnait jusqu'à
l'autre bout de la ville et il se tapait sur les cuisses.) Z'allez
pas m'dire qu'alle parle comme tout le monde ? On dirait
qu'alle sort de *Star Trek*. Un vrai robot, non ? Bon, en attendant on l'a virée. Raie au beurre noir. Ah, elle est bonne
celle-là, j'la r'servirai. Qui c'est qui commande déjà maintenant ?

— Jack Barker, répondit la Reine en essayant d'aplatir ses
voyelles.

— Ouaf, ouaf ! *Jââck Bâârkeur...* Z'êtes vraiment au poil,
vous alors ! Une sacrée rigolote...

Il se leva et se tint en titubant devant la Reine. Elle remarqua qu'il ne portait pas de chaussettes. L'ourlet de ses
pantalons était défait et les fils pendaient derrière lui. Si le
journaliste d'un magazine de mode lui avait demandé
comment il choisissait ses vêtements, il aurait pu répondre
sans mentir qu'il avait un beau matin enfilé ses fringues et
qu'il continuait de les porter vingt-quatre heures sur vingt-
quatre jusqu'au jour où elles lui seraient retirées de force

par des hommes en combinaison étanche, portant masques et gants protecteurs.

— Alors, à qui que j'vous fais penser, hein ?

Il se figea dans une pose qu'il voulait artistique, un doigt sous le menton et la tête légèrement tournée pour présenter son meilleur profil.

La Reine secoua la tête ; elle ne voyait vraiment pas.

— Le Duc ! cria l'épave ambulante. (Il vit que ce mot ne disait rien à son interlocutrice.) Le prince Philip. J'y ressemb' comme deux gouttes d'eau. Tout l'monde le dit. Mieux qu'un sosie. Vous voyez pas ?

La Reine admit que, en effet, il existait une « légère ressemblance ». Il vida la bouteille cul sec, la secoua et aspira les deux dernières gouttes brunes. Il la secoua de nouveau et comme rien ne venait il se mit en colère et heurta ses dents contre le goulot.

— Z'auriez pas des fois de quoi m'payer un Big Mac, ma p'tite dame ?

— Non, répondit la Reine, je n'ai pas le moindre penny.

— Ouais, elles disent toutes ça, même si elles causent pas chicos comme vous.

Elizabeth lui demanda de lui indiquer la direction du bureau d'aide sociale. Il proposa de l'escorter jusqu'à la porte, mais elle déclina gracieusement l'offre.

Comme elle attendait que le petit bonhomme passe au vert pour traverser, elle entendit le clochard hurler :

— Jeanette Charles ! C'est elle, c'est bien elle ! Vous êtes son sosie tout craché. Un paquet d'pognon, qu'vous pourriez vous faire !

La Reine prit son tour dans la file d'attente qui s'allongeait à l'extérieur du bureau d'aide sociale. Une femme banale vêtue d'habits quelconques lui tendit un jeton portant le numéro 39. Elle se plaça derrière le 38 et fut bientôt rejointe par le 40. Ceux qui, dans la queue, possédaient une montre la consultaient fréquemment. Ceux qui n'en avaient pas demandaient l'heure aux autres.

Invisible et invincible, le temps s'envolait, se moquant des personnes reléguées à l'extérieur. Passeraient-elles ? Ne passeraient-elles pas ? Il restait encore vingt-cinq minutes. Chacun se livrait à des calculs dans sa tête. De jeunes enfants s'accrochaient stoïquement aux poussettes de leurs cadets. A l'heure des embouteillages, les pots d'échappement leur envoyèrent la fumée directement dans les poumons.

Harris toussait et tirait sur sa laisse.

La queue avançait en traînant les pieds. La Reine fut bientôt assez proche de l'entrée pour apercevoir l'intérieur : une grande pièce dans laquelle une horloge indiquait de ses noires aiguilles menaçantes qu'il était dix-sept heures et douze minutes. Un bébé s'étant mis à pleurer, sa mère lui donna à sucer un paquet de chips fermé.

– J'y donne pas une vraie chips pass'qu'y a du sel, expliqua la jeune mère (le numéro 38), et l'sel, il aime pas ça.

La Reine inclina la tête, peu désireuse de trahir, en ouvrant la bouche, son origine de classe. Sa manière de parler devenait gênante. Devrait-elle la modifier ? Sa syntaxe constituait également un obstacle. Finirait-elle par adopter l'absence de négation ? Il lui était extrêmement difficile de se figurer clairement où elle se *situait* désormais. Excepté à cette place entre les numéros 38 et 40.

Les aiguilles de la pendule se rapprochaient de dix-sept heures trente. Il y eut un début de panique dans la file d'attente. Elle se répercuta aux guichets où les demandeurs assis, eux, sur une chaise plaidaient leur cas à travers l'hygiaphone.

Dans le sens salle d'attente-bureau, passaient des mots de supplication, colère et désespoir. Dans l'autre direction, on percevait des termes se rapportant aux règlements, des explications, des refus.

Un homme se leva et tambourina sur l'écran. « J'ai besoin d'argent maintenant ! criait-il. J'peux pas rentrer à la maison sans argent. On a pus rien. »

La personne derrière l'hygiaphone demeura impassible pendant qu'un agent de la sécurité éloignait l'homme.

— 36, appela une employée.

— 37, jeta un autre.

Une troisième se leva de son bureau et rangea dans une boîte papiers et crayons. Elle jeta la courroie de son sac à main par-dessus son épaule et fit le geste de partir.

La Reine abandonna sa place dans la queue et dit à travers la grille :

— Excusez-moi, mais à quelle heure quittez-vous votre travail ?

— A cinq heures et demie, répondit l'employée, de mauvaise grâce.

— Alors il reste cinq minutes, constata la Reine, il se peut que votre montre avance.

L'employée se rassit et appela :

— 38.

La Reine retourna dans la queue, satisfaite de sa petite victoire. Derrière elle, 40 s'exclama :

— Joli coup, madame... (Il s'approcha plus près en marmonnant du coin des lèvres.) Eu l'honneur de servir dans votre régiment. Les Gardes gallois. Essuyé le feu dans les Malouines, Bluff Cove. Retraite honorable. Les nerfs ont craqué.

— Sale coup, dit la Reine, qui était l'ex-colonel de trente-huit régiments et le capitaine de sept autres.

Un jeune Asiatique au physique agréable appela son numéro. La Reine avait cinq minutes pour expliquer sa situation et arracher l'argent pour l'autobus, la nourriture et les compteurs.

— C'est impossible, fit le souriant Asiatique lorsqu'elle lui avoua que, non, elle ne possédait aucun document prouvant qui elle était et où elle habitait. Il nous faut une preuve d'état civil pour effectuer un paiement d'urgence. Le livret de famille ? une quittance de gaz ?

La Reine expliqua qu'elle n'avait pas encore reçu de livret. Elle n'était là que depuis quatre jours.

– Et où habitiez-vous auparavant ?
– A Buckingham Palace, répondit la Reine.
– Ben voyons.

Le jeune homme s'esclaffa en contemplant le manteau couvert d'empreintes de pattes boueuses, les ongles en deuil, les cheveux mouillés et décoiffés. Il en entendait vraiment de toutes les couleurs. Il aurait largement de quoi écrire un livre ! Deux livres. Quelle rigolade !

– Et comment se fait-il que vous habitiez à Buckingham Palace ? demanda-t-il en haussant la voix afin que tout le monde profite de la plaisanterie.

– Parce que j'étais la reine, dit la Reine.

Le jeune homme pressa un bouton sous son comptoir et l'agent de la sécurité prit Elizabeth par le bras et la livra, en compagnie de Harris, à la noirceur de la nuit. Elle resta là, sur le trottoir, ne sachant que faire ni vers qui se tourner. Elle fouilla toutes ses poches à la recherche d'une pièce pour téléphoner, tout en sachant parfaitement qu'elles étaient rigoureusement vides, à part un vieux kleenex. Elle ignorait qu'il est possible d'appeler un numéro en PCV.

On était vendredi soir, l'aide sociale resterait fermée pendant deux jours. Ils avaient de l'argent, elle n'en avait pas.

Remorquant Harris derrière elle, elle retourna en courant au bureau. Les employés avaient déjà revêtu leurs manteaux. L'horloge marquait cinq heures, vingt-neuf minutes et trente secondes. Comme les derniers demandeurs sortaient du bâtiment, elle vit que le numéro 38 tenait un billet de cinq livres dans sa main. Elle parlait à son bébé, lui expliquant qu'elle allait lui acheter du lait, du pain et des couches. Le numéro 40 refusait de sortir et criait : « J'étais à Bluff Cove ! »

La Reine attrapa Harris et le tint sous son bras.

– Mon chien meurt de faim, annonça-t-elle à haute et intelligible voix.

L'employée numéro deux habitait avec sa mère, trois chiens et cinq chats. Elle aurait voulu être vétérinaire mais n'avait pas eu son bac C. Elle regarda Harris, qui gisait prostré dans les bras de sa maîtresse, parfait exemple du stade ultime de la malnutrition. L'employée reprit place derrière son bureau. Elle déboutonna son manteau, saisit son crayon et invita la Reine à s'asseoir. Elle commença par lui infliger un sermon sur les responsabilités qui incombent à toute personne possédant un animal.

– Vous ne devriez pas avoir de chien à moins d'être capable de le traiter *correctement*… (Harris pleurnichait à faire pitié en laissant pendre ses oreilles.) Il a l'air en mauvaise santé. Je vous alloue une somme suffisante pour lui acheter quelques boîtes de nourriture et des comprimés de vitamines.

La Reine prit l'argent, signa le reçu et quitta le bureau. Elle remercia Dieu d'avoir donné aux Anglais un tel amour des bêtes.

20

Le « faux derche » la suivait toujours. Lorsqu'elle sortit du bureau, il pria pour qu'elle ne rentre pas à pied à la maison. Ses pauvres panards étaient comme des morceaux de viande crue. Il n'avait qu'une idée : retirer ses chaussures. La Reine tenait les trois pièces d'une livre fermement serrées dans sa main. Combien coûtait une miche de pain ? Une livre de pommes de terre ? Un paquet de café ? Elle n'avait pas la moindre intention d'acheter de la nourriture ou des vitamines pour Harris.

Lorsqu'elle était malade, dans son enfance, Crawfie avait pour habitude de lui concocter un consommé léger. La Reine se souvint vaguement que la préparation comportait des os. Elle passa devant la boutique d'un boucher. Un homme en blouse blanche et grand tablier noué était occupé à nettoyer les étagères dans la vitrine. Des petits bouquets de persil en plastique étaient empilés sur le comptoir, attendant d'être replacés dans la vitrine pour faire joli. La Reine attacha Harris à l'extérieur et poussa la porte.

– C'est fermé, dit le boucher.

– Pourriez-vous me vendre quelques os ? le pria la Reine.

– C'est fermé, répéta-t-il.

– Je vous en prie, c'est pour mon chien.

Le boucher soupira, disparut à l'arrière du magasin et revint avec un paquet d'os à l'aspect effrayant qu'il jeta sur la balance.

– Trente pence, annonça-t-il, peu amène, en les enveloppant vaguement dans un morceau de papier.

– Puis-je avoir un petit sac ? demanda la Reine.

– Non, pas pour trente pence.

– C'est parfait, merci et au revoir.

Elle ignorait combien coûtait un sac. Elle ne pouvait courir le risque de dépenser vingt, peut-être trente pence supplémentaires.

– Au revoir, répéta-t-elle.

Le boucher lui tourna le dos et se mit à arranger son persil plastifié sur le bord des étagères.

La Reine demanda :

– Vous aurais-je offensé en quelque manière ?

Le boucher grogna :

– Bon, écoutez, vous en avez pour vos trente pence, fermez la porte derrière vous.

Elle n'eut pas le temps de s'exécuter. Un homme bien habillé pénétra dans la boutique et dit :

– Je vois que vous êtes en train de fermer, mais j'aimerais un rôti de bœuf dans le filet, trois livres.

Le boucher sourit :

– Certainement, monsieur, sans problème.

La Reine ramassa ses os et sortit. En détachant Harris, elle regardait le boucher à travers sa vitrine. Il découpait de larges tranches d'un énorme morceau de bœuf, avec la mine réjouie et affable d'un boucher du jeu des Sept Familles.

L'odeur des os rendait Harris complètement fou. Il exécutait des bonds en direction du paquet coincé sous le bras de la Reine. Arrivés à l'arrêt d'autobus, elle jeta un petit morceau d'os sur le trottoir et il l'attaqua avec férocité. Il le serrait fermement dans ses pattes et arrachait les lambeaux de chair avec des grognements gutturaux d'affamé.

L'os était complètement rongé lorsque l'autobus fit son apparition. Le centre ville était presque désert. La Reine appréhendait le week-end à venir. Comment nourrir un mari, un chien et soi-même avec deux livres et dix pence, tout ce qui lui resterait après avoir payé son trajet ? Il lui était impossible d'emprunter encore. Elle n'avait plus qu'à prier pour que son virement lui parvienne par la poste le lendemain matin.

– Un ticket pour la Cité des Fleurs, dit la Reine en posant sa monnaie dans le réceptacle.

– Ça f'ra quatre-vingt-dix pence, le chien paie demi-tarif.

La Reine était horrifiée :

– Certainement pas !

– Demi-tarif pour le chien, répéta le conducteur.

Harris eut droit à un regard vénéneux de sa maîtresse. Elle l'aurait bien laissé courir derrière l'autobus. Depuis le début, il n'était qu'une source d'embarras. Malgré tout, elle paya et hissa Harris sur la plate-forme supérieure. Elle comptait et recomptait son argent mais parvenait toujours au même résultat : une livre et quatre-vingts pence. Elle ferma les yeux et pria pour que se produise un miracle, du genre multiplication des pains et des poissons.

Elle descendit de l'autobus devant Hyper-Super, le supermarché de la Cité des Fleurs. Le propriétaire-gérant se nommait Victor Berryman. Il se tenait à la porte pour accueillir la clientèle et surveiller la fauche.

– 'soir, madame. On s'installe ?

La Reine sourit :

– Oui, on essaie de s'y retrouver…

– J'suis content d'entendre ça. Désolé pour vot' mari.

– Mon mari ? !

– Oui, j'ai entendu dire que ça n'allait pas fort.

– Pas fort ?

– Qu'il avait pas toute sa tête…

– Il est déprimé, certainement.

– Je sais c'que c'est. J'avais une chaîne, vous savez, des Hyper-Super à travers toute la région. Pubs à la télé. Des majorettes, *Hyper, c'est Super*. (Il se mit à chanter le jingle et à balancer ses hanches volumineuses.) Hyper, houla, houla ! C'est Super, aloha !… J'voulais que les filles fassent dans l'polynésien : des jupes en feuilles de palmier, des guirlandes de fleurs, voyez le genre, mais elles arrêtaient pas d'râler…

(Il regarda avec amertume en direction des caisses où deux mémères enregistraient les codes barres.) Oui, j'ai été moi-même à la tête d'une dynastie ; du coup, j'comprends vot' mari, dur, dur quand tout ça fout le camp…

La Reine fronça le sourcil :

— Mon mari n'était pas le chef de la dynastie. C'était moi.

Victor Berryman extirpa un Mars de la poche d'un gamin qui passait devant lui, lui tordit l'oreille et lui botta les fesses, direction la sortie.

— En tout cas, madame, si je peux faire quéque chose, dit Victor en tendant un poing menaçant dans la direction du gamin.

La Reine expliqua qu'elle désirait préparer un consommé léger.

— Un *consoméléjé* ? répéta Victor.

— Une sorte de potage, de bouillon pour les malades. J'ai déjà les os. Que suis-je supposée y ajouter ?

Victor resta sans voix. La cuisine était pour lui un lieu de mystère. Tout ce qu'il savait, c'est qu'on y introduisait des ingrédients froids et qu'au bout d'un temps plus ou moins long on en ressortait de la nourriture chaude. Il appela l'une des femmes au contrôle.

— Madame Maundy, venez donner un coup de main à la cliente, s'il vous plaît. Je m'occupe de la caisse.

Mme Maundy esquissa une demi-révérence, tendit un panier grillagé à la Reine et la guida le long des rayons où elle choisit un oignon, deux carottes, un navet, une livre de pommes de terre, un grand paquet de pain coupé en tranches, un pot de confiture de fraises (petit modèle) et deux bouillons cubes.

Victor Berryman soumit les provisions de la Reine à l'œil électronique et annonça :

— Une livre et cinquante-huit pence…

— Mon Dieu !

La Reine n'avait qu'une livre et quatre-vingts pence.

— Il me faut reposer quelque chose, dit-elle, j'ai besoin de cinquante pence pour le compteur.

A eux deux, ils calculèrent que si elle se séparait d'une carotte et d'un bouillon cube, en prenant un petit paquet de pain en tranches…

La Reine quitta le magasin, son sac Hyper-Super à la main. Victor lui tint la porte et lui dit qu'il espérait la revoir bientôt. Peut-être serait-elle assez aimable pour le recommander à sa famille et si elle possédait toujours un de ces écussons, BY APPOINTMENT…, il serait flatté de l'accrocher au-dessus de sa porte.

La Reine avait l'habitude de questionner les gens, aussi, alors qu'elle décrochait la laisse de Harris, demanda-t-elle à Victor comment il avait échoué dans sa tentative de fonder sa dynastie Hyper-Super.

— La banque, répondit-il en vérifiant les cadenas apposés sur les grilles en métal protégeant les vitrines. Ils m'ont harcelé pour que j'emprunte afin de m'agrandir. Puis les intérêts ont grimpé et je ne pouvais plus assurer les remboursements. Bien fait pour moi, j'ai tout perdu. Mme Berryman a très mal réagi ; on a vendu la maison, les voitures. Personne ne veut racheter une affaire dans la Cité des Fleurs. Faudrait être givré. Nous habitons au-dessus du magasin, maintenant…

La Reine leva les yeux et vit une femme, qu'elle devina être Mme Berryman, qui regardait tristement à travers les carreaux d'une fenêtre dépourvue de rideaux.

— Enfin, conclut Victor, c'est rien à côté de c'que *vous*, vous avez perdu, pas vrai ?

La Reine, qui avait perdu châteaux, propriétés, terres, joyaux, tableaux, villas, un yacht, un train, plus d'un millier de serviteurs et des milliards de livres, acquiesça d'un hochement de tête.

Victor sortit un peigne de sa poche et le passa sur son crâne chauve.

— La prochaine fois que vous viendrez, montez voir Mme Berryman pour une tasse de thé. Elle ne quitte pas l'appartement ; elle fait de l'agoraphobie.

La Reine leva de nouveau les yeux, mais le triste visage avait disparu de la fenêtre.

Elle rentra à Hell Close en serrant la pièce de cinquante pence dans son poing fermé. A une distance respectable, le « faux derche » boitillait derrière elle. Si c'est ça, le travail de flic en bourgeois, remettez-moi en tenue tout de suite, pensait-il.

En pénétrant dans la maison, la Reine perçut une toux familière. C'était Margaret qui fumait en secouant ses cendres au-dessus d'une tasse à café.

— Lilibet, quelle tête absolument *épouvantable* ! Et que transportes-tu dans cet affreux petit sac nauséabond ?

— Des os pour notre dîner.

— Cet après-midi, j'ai passé un moment horriblement déprimant avec un *épouvantable* petit bonhomme de la Sécurité sociale. Un individu abject au-delà de toute expression…

Elles se transportèrent dans la cuisine. La Reine remplit à moitié une casserole d'eau et y jeta les os. Margaret la regardait, comme fascinée par un magicien sur le point de réaliser un tour de passe-passe.

— Es-tu habile pour éplucher les pommes de terre, Margaret ?

— Non, bien sûr que non. Et toi ?

— Non plus, mais il faut bien essayer.

— Vas-y, essaie, bâilla Margaret. Je dîne dehors ce soir. J'ai appelé Bobo Criche-Hutchinson. Il a une maison dans le coin. Il passe me prendre à vingt heures trente.

Une mousse se forma dans la casserole au moment de l'ébullition et déborda, éteignant le gaz. La Reine le ralluma avant de dire :

— Tu sais que nous n'avons pas le droit de dîner dehors ; nous devons respecter le couvre-feu. Tu ferais mieux d'appeler Bobo et de le décommander. On dirait que tu n'as pas lu les instructions de Jack Barker…

— Non, je les ai déchirées en menus morceaux.

— Alors, lis les miennes, conseilla Elizabeth en massacrant une table King Edward avec un couteau de cuisine. Dans mon sac.

Lorsqu'elle eut fini sa lecture, Margaret regarnit son fume-cigarette et annonça :

– Je vais me tuer.

– C'est une solution, reconnut la Reine, mais qu'en penserait Crawfie ?

– Qui se soucie de l'opinion de la vieille sorcière ? explosa Margaret. De toute manière, elle est morte et enterrée.

– Pas pour moi. Elle est sans cesse près de moi.

– Elle me détestait. Elle n'en a jamais fait mystère.

– Tu étais une petite fille détestable : autoritaire, arrogante et sournoise. Crawfie disait toujours que tu transformerais ta vie en vrai désastre. Eh bien, c'est ce qui est arrivé, non ?

Au bout d'un silence d'une demi-heure, la Reine présenta ses excuses pour son éclat. C'était Hell Close qui avait cet effet sur les gens. On s'habituait à dire ce qu'on avait sur le cœur. Cela présentait parfois des inconvénients, mais on se sentait étrangement bien après.

Margaret passa dans le living pour téléphoner à Bobo Criche-Hutchinson, laissant la Reine se débattre avec la casserole, les légumes et le bouillon cube. Mme Maundy lui avait conseillé de laisser frissonner son bouillon à petit feu pendant des heures, « pour en extraire toutes les bonnes choses », mais la Reine était affamée. Elle avait besoin de manger *maintenant*, *tout de suite*. Quelque chose de goûteux, de consistant et de sucré. Elle attrapa le pain, la confiture, et se prépara une pile de sandwichs qu'elle dévora debout, devant le plan de travail, sans assiette ni serviette.

Un jour, une femme politique lui avait assuré que la raison pour laquelle les pauvres ne parvenaient pas à se débrouiller avec leurs revenus tenait à ce qu'ils ne possédaient pas « l'aptitude à préparer de bons repas, simples et nutritifs ».

La Reine regarda son bon bouillon, simple et nutritif, qui frissonnait dans la casserole, et elle s'autorisa une autre tartine de confiture.

Ce soir-là, le prince Philip rôdait dans la chambre à coucher, marmonnant dans sa barbe. Il regarda par la fenêtre. La rue était remplie des membres de sa famille. Il vit sa femme et sa belle-sœur sortir de la maison de sa belle-fille. Elles traversèrent la rue en direction du pavillon de sa belle-mère. Son fils était en train de bêcher son jardin, *dans le noir*. Non mais quel malade ! Philip se sentit cerné par les siens. Les salauds étaient partout. Ann accrochait des rideaux avec l'aide de Peter et Zara. William et Harry hurlaient à l'intérieur d'une épave de voiture. Il comprit ce que devait ressentir le cow-boy retranché derrière la diligence renversée, aux prises avec de foutus Indiens.

Il retourna dans son lit. Le bouillon dégueulasse – et il était froid maintenant ! – que sa femme lui avait apporté quelque temps auparavant se renversa sur le plateau d'argent et de là sur la courtepointe. Il ne tenta pas un geste pour réparer le désastre. Il était trop fatigué. Il tira le drap par-dessus sa tête et souhaita être transporté ailleurs. N'importe où, sauf ici.

Le Yeoman, Maître des Corbeaux, dépassa la tour Blanche puis revint sur ses pas. Quelque chose n'allait pas. Mais il ne put déterminer immédiatement quoi. Il s'immobilisa pour mieux réfléchir. Des touristes japonais en profitèrent pour le prendre en photo. Un groupe d'adolescents allemands se moqua de son stupide chapeau. Des Américains demandèrent s'il était vrai que la reine d'Angleterre vivait désormais dans une cité en lointaine banlieue.

Au moment précis où une lycéenne de Tokyo pressait le bouton de son Nikon, le Yeoman, Maître des Corbeaux, se souvint de ce qui n'allait pas. Une fois développée, la photo le montrerait la bouche grande ouverte d'horreur, les yeux pleins d'une terreur primitive.

Les corbeaux avaient quitté la tour. Le royaume était sur le point de s'écrouler.

C'était le premier jour de classe de Harry à l'école primaire de la rue des Soucis. Charles se tenait à l'extérieur du bureau de la directrice, ne sachant s'il devait entrer ou non. Une forte dispute avait éclaté à l'intérieur. Il percevait des voix aiguës de femmes mais ne distinguait pas ce qu'elles disaient.

Harry le secoua :

— Dis donc, Papa, qu'esse qui s'passe ?

Charles serra vivement la main de l'enfant :

— Pour l'amour de Dieu, Harry, parle correctement !

— Si j'parle correctement j'me fais casser la gueule…

— Par qui ? demanda Charles, l'air ennuyé.

— Par qui-*ça*, corrigea Harry. Par les mômes de Hell Close, par qui-ça !

Violet Toby sortit du bureau, suivie par la directrice, Mme Strickland.

— Tu touches encore un cheveu de la tête à mes p'tits-enfants et j't'écrase ta grande gueule de vache ! criait Violet.

Mme Strickland n'avait pourtant pas l'air bovin, songea Charles. Il sentait resurgir la vieille terreur que l'école avait toujours provoquée en lui. Il serra un peu plus la main de Harry, pauvre petit bonhomme.

Mme Strickland adressa un sourire glacial à Charles.

— Je suis désolée pour cette malheureuse scène. Chantelle Toby avait mérité une punition vendredi et sa grand-mère l'a plutôt mal pris. En fait, elle a dû ruminer pendant tout le week-end.

Charles dit :

– Ah ! C'est donc cela ! J'espère qu'il ne sera pas nécessaire de punir Harry. C'est un petit garçon très sensible…

– Des clous, protesta Harry.

Charles grimaça de douleur mais demanda :

– Si vous me dites quelle est sa classe, je l'y conduirai bien volontiers…

Une goutte d'eau lui tomba sur la tête. Au moment où il l'essuyait, une autre goutte chut sur sa main.

– Oh, mon Dieu, il commence à pleuvoir, s'écria Mme Strickland.

Charles leva les yeux, de l'eau tombait par les fissures du plafond. Une sonnerie insistante se fit entendre dans l'école.

– C'est l'alerte au feu ? s'enquit Charles.

– Non, l'alerte à la pluie, répondit la directrice, les responsables des seaux vont arriver, veuillez m'excuser…

Sous les yeux stupéfaits de Charles et de Harry, des enfants surgirent de tous les coins du bâtiment et s'alignèrent devant le bureau. Mme Strickland en sortit avec des seaux, les distribua aux préposés, qui les placèrent aux endroits stratégiques, sous les fuites du corridor. Charles fut impressionné par la calme efficacité qui présida au déroulement de l'opération. Il en fit la remarque à Mme Strickland, qui n'eut pas l'air d'apprécier vraiment le compliment.

– Oh, ils sont bien entraînés. Voilà cinq ans que nous attendons notre nouveau toit.

– Doux Seigneur, fit Charles. Euh… avez-vous essayé une souscription ?

– Oui, répondit-elle sèchement. Nous avons collecté assez d'argent pour acheter trois douzaines de seaux en plastique.

– Papa, j'ai envie de pisser, chuchota Harry d'un ton perçant.

– Où… euh… dois-je le conduire ?

– Là-bas, répondit Mme Strickland en désignant l'extrémité de la cour défoncée de trous déjà remplis d'eau. Et prenez ça, il en aura besoin.

Elle tendit un parapluie arborant la face perfide de Garfield le chat.

— Il n'existe pas de toilettes à l'intérieur ? s'étonna Charles.

— Non, fut la réponse de Mme Strickland.

Ils regardèrent Harry se démener pour ouvrir le parapluie avant de se lancer en direction d'une construction minable qui abritait les toilettes. A son père qui proposait de l'accompagner, Harry avait lancé un « Ne me fais pas remarquer, Papa » sans réplique.

Charles entra dans le bureau de la directrice et remplit une fiche pour l'inscription de son fils Harry à l'école primaire de la rue des Soucis. Il fut heureux d'apprendre qu'il aurait la cantine gratuite. Lorsque Harry revint, il tendit son parapluie dégoulinant à Mme Strickland, qui le remit à sa place avant de les escorter jusqu'à la salle de classe.

— Ton instituteur s'appelle M. Newman, dit-elle à Harry.

Arrivée devant la porte, Mme Strickland frappa et entra sans que personne n'y prête la moindre attention. Les enfants riaient à gorge déployée à la vue de M. Newman, occupé à exécuter une imitation très pointue de la directrice. Même Charles, qui connaissait peu Mme Strickland, se rendit compte que M. Newman possédait un réel talent. Il rendait parfaitement la mâchoire saillante, le dos rond et les brusques intonations. Ce n'est que lorsque les enfants se turent brusquement que l'instituteur se retourna pour faire face à ses visiteurs.

— Ah... fit-il. Vous me surprenez en plein milieu de mon numéro de Quasimodo. Nous étudions la littérature française ce matin.

— Littérature française ! éructa Mme Strickland. Ces enfants ne connaissent même pas la littérature anglaise !

— C'est parce que nous n'avons aucun livre, rétorqua M. Newman. Il me faut photocopier les pages de mes propres livres, à mes frais. (Il se pencha et serra la main de Harry.) Je suis monsieur Newman, ton instituteur, et tu es Harry, n'est-ce pas ?... Charmaine, tu t'occuperas de Harry aujourd'hui.

Une petite fille replète, vêtue d'un bermuda criard et d'un tee-shirt TERMINATOR 2, s'avança vers Harry et l'arracha à son père pour le conduire à une chaise vacante près de la sienne.

– C'est une « cantine gratuite », claironna Mme Strickland.

Ce à quoi M. Newman répondit calmement :

– Ce sont tous des « cantine gratuite », il ne manquera pas de copains.

Charles fit un petit signe de la main en direction de Harry et suivit Mme Strickland. Comme ils slalomaient entre les seaux dans le corridor, Charles demanda :

– Ainsi, vous manquez de livres ?

– De livres, de papier, de crayons, de colle, de peinture, de matériel pour la gymnastique, de couverts pour la cantine et de *personnel*, répondit Mme Strickland, mais, cela mis à part, nous sommes une école très bien équipée. Les parents sont fort coopérants mais ils n'ont pas d'argent, il y a une limite au nombre des tickets de tombola qu'il leur est possible d'acheter et des braderies auxquelles ils peuvent assister. Nous ne sommes pas précisément dans une banlieue de lys et de roses, monsieur Teck.

Charles acquiesça. La Cité des Fleurs n'en avait pas vu la queue d'une depuis belle lurette.

Mai

C'était le premier jour de mai. Charles hurla :

– Chérie, fermez-les yeux, j'ai une surprise !

Diana, qui n'avait pas encore *ouvert* les paupières
– il n'était que six heures et demie, nom d'un chien –, se
retourna face à la porte. Charles surgit de la salle de bains et
s'approcha.

– Ouvrez les yeux.

Elle ouvrit un œil, puis l'autre. Il avait son air habituel,
peut-être ses cheveux étaient-ils plus brillants que d'habitude… Charles se retourna et Diana en resta époustouflée. Il
s'était fait une queue de cheval, plutôt une queue de rat, mais
c'était un début… Un chichi rouge vif retenait ses cheveux
sur la nuque. On ne voyait plus que ses grandes oreilles.

– Châârles, c'est génie !

– Réellement ?

– Oui, super-génie !

– Vous pensez que Maman aimera ?

Le visage de Charles se plissa sous l'effet de l'anxiété.

– Sais pas. Votre papa, lui, sûrement pas.

– Mais vous ?

– Super-génie.

– Les betteraves ont sorti leurs petites pousses ce matin, et
voici que notre merle couve ses œufs fraîchement pondus.

– Super-super-génie…

Diana commençait à avoir l'habitude de ces comptes rendus agrestes aux petites heures de l'aube. Dès six heures du
matin, son époux, Wellington aux pieds, arpentait son jar-

din. Elle avait essayé de manifester son intérêt, mais, Doux Seigneur… Elle redoutait l'arrivée de l'automne. Apparemment, il s'attendait à ce qu'elle cuise des confitures et mette des cornichons en bocal. D'ores et déjà, il lui avait demandé de réunir des pots vides car il prévoyait une récolte surabondante. Elle sortit du lit et attrapa un déshabillé en soie.

— Je suis si heureux. Et vous ?

Elle mentit :

— Merveilleusement.

— En tout cas, cela prouve que le jardin est écologiquement sain. Sinon, les merles ne…

Shadow se mit à crier de l'autre côté du mur mitoyen. Ils entendirent le craquement du lit indiquant que sa mère se levait pour lui donner son biberon de thé. En entrant dans la salle de bains, Diana dit :

— Charles, j'ai besoin d'aller chez le coiffeur. Puis-je avoir de l'argent ?

— Mais… euh… j'avais prévu d'acheter un sac d'engrais biologique cette semaine…

Sharon cria à travers le mur :

— J'vous couperai les ch'veux, Di. J'ai été apprentie chez un coiffeur. V'nez vers dix heures.

Charles émit une remarque :

— L'isolation sonore de ces maisons est affolante. Elle est… euh… comment dire… inexistante.

Ils entendirent Wilf Toby mettre sa femme en garde : « J'espère qu'tu couperas pas les ch'veux d'Diana trop court », suivi d'un violent coup dans le mur et de la réponse de Violet : « Oh, ferme ton clapet ! »

Ils descendirent dans la cuisine et se mirent à fouiller les placards dans l'intention de préparer leur petit déjeuner. Comme le reste de leur famille, ils naviguaient à vue sur le plan financier. En réalité, ils étaient dangereusement sur le point de faire naufrage. Charles avait noirci deux imprimés de réclamation. Les deux fois, ils lui avaient été retournés avec une lettre d'accompagnement expliquant qu'ils étaient « incorrectement remplis ».

Au second imprimé renvoyé, Diana avait protesté : « Mais pourtant je croyais que vous étiez bon en calcul, en anglais et tout ça. » Charles avait jeté la lettre à travers la cuisine en criant : « Mais ce n'est pas du foutu anglais, c'est du charabia administratif et les calculs sont *impossibles* ! »

Il s'assit à la table en formica pour recommencer ces calculs qui le dépassaient totalement. Tout ce qu'il réussit à comprendre, c'est qu'il lui était impossible de réclamer l'aide au logement tant que le montant de son impôt sur le revenu n'était pas fixé, et il ne pouvait prétendre à être dispensé de l'impôt sur le revenu s'il relevait de l'aide au logement. De plus, il fallait tenir compte des allocations familiales, qui lui étaient dues mais dont il ne savait pas si le calcul était ou non inclus dans la somme que... Au moment où il cherchait à donner un sens à toute cette affaire, lui revint en mémoire *Alice aux pays des merveilles*. Comme elle, il se débattait dans un pays irréel. Il recevait des lettres le priant de téléphoner mais, lorsqu'il s'exécutait, personne ne répondait. Il écrivait des lettres auxquelles il ne recevait pas de réponse. La seule chose à faire : retourner un troisième jeu de formulaires et attendre que l'Etat ait l'obligeance de lui adresser les aides promises. En attendant, ils vivaient de façon précaire, faisaient du troc, empruntaient. Ils devaient déjà cinquante-trois livres et quatre-vingt-un pence à Victor Berryman, propriétaire de Hyper-Super et philanthrope.

Le laitier frappa à la porte. Il désirait être réglé. Diana jeta un coup d'œil autour de la pièce et saisit une collection de coquetiers en Wedgewood sur une étagère. Charles suivit en portant une cuillère en argent massif.

— Demandez-lui une douzaine d'œufs, dit-il en posant la cuillère en équilibre sur les coquetiers.

Barry, le laitier, se tenait sur le seuil, gardant un œil sur sa camionnette. Lorsque la porte s'ouvrit, il constata en soupirant qu'une fois de plus il ne serait pas payé en liquide.

Un peu plus tard dans la journée, Charles était en train de tuteurer ses haricots lorsque Beverley Threadgold passa près de lui en poussant sa nièce dans son landau. Elle portait une minijupe en vinyle noire, des chaussures à talons aiguilles blanches et un blouson rouge. Ses jambes étaient bleues de froid. Charles sentit son estomac qui chavirait. Les tuteurs lui échappèrent et s'écroulèrent sur le sol.

– Un coup de main ? proposa Beverley.

Charles acquiesça d'un mouvement de tête. Beverley entra dans le jardin et l'aida à remettre les tuteurs en place. Pendant qu'elle maintenait les trois tiges de bois, Charles les ficela à leur extrémité avec du fil armé vert bouteille. Elle sentait le parfum bon marché et le tabac. En temps normal, Charles aurait trouvé répugnante cette association. Au lieu de quoi, il se creusait la cervelle pour trouver quelque chose à dire, n'importe quoi, en sorte de retarder l'instant de la séparation.

– Quand passons-nous de nouveau au tribunal ? demanda-t-il, bien qu'il connût parfaitement la réponse.

– La semaine prochaine, répondit Beverley. J'en suis malade.

Il remarqua qu'il lui manquait quatre dents au fond de la bouche. Il mourait d'envie d'embrasser ses lèvres. Le soleil fit son apparition et ses cheveux fourchus brillèrent, il aurait voulu les caresser. Elle alluma une cigarette et lui, le farouche militant anti-tabac, il ne demandait qu'à inhaler son souffle. C'était fou, mais il suspecta qu'il était amoureux de Beverley Threadgold. C'était ça, ou bien il avait attrapé un virus qui s'attaquait à son cerveau ou, du moins, à son jugement. Non seulement elle faisait partie du vulgum mais en plus elle était vulgaire. Comme elle faisait mine de se remettre en route, Charles essaya une autre tactique pour gagner du temps.

– Quel bébé absolument splendide ! s'écria-t-il.

Leslie était tout sauf un bel enfant. Allongée sur le dos, suçant férocement une énorme tototte rose, elle fixait de ses yeux bleus délavés le ciel par-dessus Hell Close, comme un vieillard déçu par l'existence. Une odeur rance émanait du landau. Les petits vêtements étaient d'une propreté douteuse. Beverley borda soigneusement une couverture en acrylique rose fluorescent autour des épaules de Leslie et débloqua du pied le frein du landau.

Charles se lança :

— Elle n'a pas mis longtemps pour retourner au tribunal, notre affaire…

« Notre », quel mot merveilleux ! Il signifiait qu'il avait quelque chose en commun avec Beverley Threadgold !

— C'est pass'que c'est *vous*, dit Beverley, y veulent s'débarrasser d'vous.

— Croyez-vous ?

— Ouais, vous mettre au trou. Pour être peinards.

— Oh, mais je n'irai pas en *prison*, dit Charles en riant de l'absurdité de cette supposition.

Après tout, il était innocent et nous étions encore en Grande-Bretagne, pas dans une république bananière dirigée par un tyran à lunettes de soleil.

— Y veulent pas que vous vous agitiez dans l'coin pour essayer d'faire regrimper vot' maman sur le trône.

— Mais c'est bien la *dernière* chose qui me viendrait à l'idée ! protesta Charles. Je n'ai jamais été aussi heureux. Pour tout dire, à l'instant présent, Beverley, je suis follement heureux…

Beverley tira avec force sur le dernier millimètre de sa cigarette et expédia le filtre incandescent rejoindre les nombreux mégots du caniveau. Regardant les pantalons de flanelle grise et le blazer de Charles, elle dit :

— Warren Deacon a des survêt' à dix livres, vous feriez bien d'en ach'ter pour faire vot' jardin. Il a aussi des baskets et tout ça.

Charles était suspendu à chaque mot. Puisque Beverley lui en donnait le conseil, il trouverait ce Warren Deacon, se saisirait de sa personne et exigerait de lui un *survette* ou je ne sais quoi. Le bébé se mit à pleurer, Beverley lui chantonna « Tatata » et se mit en route. Charles nota les veines bleues derrière ses genoux. Comme il aurait voulu les lécher ! Il était amoureux de Beverley Threadgold ! Il avait envie de pleurer et chanter, de rire et de crier. Il la regarda alors qu'elle passait la barrière et la vit cracher avec une précision diabolique sur le pied de l'inspecteur en chef Holyland. Quelle femme !

Diana tapotait derrière la vitre et mima quelqu'un en train de boire dans une tasse. Charles fit semblant de ne pas comprendre ce qu'elle voulait dire, l'obligeant à venir jusqu'à la porte lui demander :

– Du thé, chéri ?

D'un ton irrité, Charles déclina l'offre :

– Non, j'en ai marre de ce foutu thé, ça me sort par tous les pores de la peau.

Diana ne dit rien mais ses lèvres tremblèrent et ses yeux se remplirent de larmes. Pourquoi était-il si horrible avec elle ? Elle avait fait de son mieux pour rendre agréable leur affreuse petite maison. Elle avait appris à cuisiner cette abominable nourriture macrobiotique. Elle se débrouillait avec les garçons. Elle était même prête à accepter sa stupide petite queue de rat. Elle n'avait aucun moment agréable. Elle ne sortait jamais. Elle n'avait pas les moyens d'acheter des piles pour sa radio, du coup elle ignorait quels titres se trouvaient en tête au hit-parade. Elle n'avait aucune occasion de s'habiller élégamment. Sharon avait massacré ses cheveux. Elle aurait bien eu besoin des services d'une manucure et d'un pédicure. Si elle n'y prenait garde, elle finirait par ressembler à Beverley Threadgold et Charles la quitterait, *sur-le-champ*.

– Tu construis des wigwams pour les enfants ? demanda-t-elle en regardant les tuteurs groupés en triangle.

Charles lui adressa un coup d'œil plein d'un mépris si foudroyant qu'elle préféra retourner à l'intérieur. Elle avait déjà nettoyé la maison, lavé et repassé. La seule chose qui restait à préparer était le procès de Charles. Elle ouvrit son placard. Que porterait-elle ? Elle inspecta ses robes, choisit des chaussures et un sac et se sentit instantanément réconfortée. Lorsqu'elle était petite, elle adorait se déguiser. Elle referma le placard et nota mentalement de réserver son strict tailleur noir pour le dernier jour du procès. Après tout, il se *pouvait* que Charles aille en prison.

Elle ouvrit de nouveau son placard. Quelle tenue serait adéquate pour visiter un prisonnier ?

24

Il était minuit dans la maison d'Ann. Spiggy se mouvait à plat ventre dans une flaque d'eau. A côté de lui, la princesse épongeait avec une serpillière. Elle portait des Wellington vertes, un jean et une chemise de bûcheron. Ses épais cheveux blonds, échappés d'une barrette en écaille, étaient répandus sur ses épaules. La jeune femme et l'homme à tout faire étaient tous deux mouillés et dépenaillés.

Après avoir branché la machine à laver, Ann était partie rendre visite à sa grand-mère. En rentrant, elle avait trouvé les carreaux de la cuisine sous trois inches d'eau[1]. Elle avait appelé Spiggy à l'aide.

Ann demanda :

— Qu'est-ce que j'ai fait comme bêtise ?

— Votre tuyau est nase, euh, trop lâche, répondit Spiggy en cherchant ses mots, mais vous avez fait un sacré bon boulot. Y a pas beaucoup d'bonnes femmes capab' de brancher une machine à laver...

— Merci, dit Ann, flattée du compliment. Il faut que je me procure ma propre trousse à outils, maintenant.

— Vot' mari en a pas ? demanda Spiggy.

— Je me suis séparée de mon mari, il y a de cela plusieurs années, répondit Ann.

— Ah bon ?

Ann fut étonnée. Elle croyait que quiconque déchiffrant l'anglais était au courant de ses affaires de cœur. Elle tordit

---

1. Huit centimètres, environ.

sa serpillière au-dessus d'un seau en tôle galvanisée et demanda :

— Vous ne lisez pas les journaux, Spiggy ?

— Chais pas lire.

— Vous n'écoutez pas la radio, ne regardez pas la télévision ?

— Non, ça m'prend la tête.

Dieu qu'il était rafraîchissant de s'entretenir avec quelqu'un qui n'avait aucune idée préconçue la concernant ! Spiggy fixa le tuyau, puis, ensemble, ils resserrèrent les vis sur la plaque du fond et poussèrent la machine à sa place, sous le plan de travail en formica.

— V'là une bonne chose de faite, déclara Spiggy. Z'avez rien d'aut' à bricoler, tant qu'j'y suis ?

— Non, dit Ann. De toute manière, il est très tard.

Spiggy ne saisit pas l'allusion. Au contraire, il s'assit à la petite table de la cuisine.

— *Je* me suis séparé de *ma* femme, annonça-t-il, s'apitoyant soudain sur lui-même. P't-êt' qu'on pourrait s'boire un verre ou deux un soir et s'faire une partie d'fléchettes ?

Spiggy posa son bras sur les épaules d'Ann, mais il ne s'agissait pas d'une invite sexuelle. C'était le geste amical d'un réparateur de machine à laver divorcé à un autre. Ann ne rejeta pas d'emblée cette proposition et Spiggy imagina l'entrée qu'il effectuerait au Club des Travailleurs, la princesse Ann à son bras. Ça leur apprendrait à ces connards, à se foutre de sa petite taille et de ses kilos en trop. Un tas de bonnes femmes aimaient les mecs petits et gros. Tiens, Bob Hoskins, par exemple, il assurait un max.

Ann se dégagea de l'étreinte de Spiggy et remplit son verre d'une nouvelle Carlsberg. Elle jeta un coup d'œil dans le miroir. Se couperait-elle les cheveux ? Cela faisait des années qu'elle se coiffait de la même manière. Il était peut-être temps de changer. Surtout maintenant qu'elle touchait le fond : une femme seule, vivant dans une cité de banlieue et qui se faisait draguer sur le coup de minuit par un petit gros.

– Oui, pourquoi pas, Spiggy, se surprit à dire Ann, je prendrai une baby-sitter.

Spiggy ne pouvait croire à sa chance. Il achèterait une pellicule pour son appareil photo et demanderait à un de ses potes de le prendre en train de trinquer avec la princesse. Il ferait encadrer la photo et l'enverrait à sa mère. Elle serait fière de lui, pour une fois. Il ferait l'acquisition d'une chemise. Il avait bien une cravate quelque part. Il éviterait ses blagues habituelles : faire claquer l'élastique du soutien-gorge, passer sa cassette d'histoires cochonnes dans la voiture. Il ferait gaffe avec celle-là. C'était une dame.

Il se leva à contrecœur en remettant en place l'entrejambe de sa salopette. Depuis peu, il avait une camionnette avec un panonceau bricolé par un copain : L. A. SPIGGS, POSE DE MOQUETE, TRAVAIL SOIGNÉ. Le précédent propriétaire était la poste britannique. Du moins c'est ce qu'indiquait la carte grise. A part ça, il ne possédait aucun document genre permis de conduire, assurance ou vignette. Il préférait courir sa chance et, de toute manière, où est-ce qu'il aurait trouvé l'argent, hein ? Ç'avait déjà été duraille de les allonger pour la camionnette. La légalité, c'est comme l'essence, ça coûte du fric.

– Allez, j'me tire, annonça-t-il, j'ai encore mes soins de beauté avant d'me mettre dans les toiles.

Les femmes, avait-il entendu dire, aimaient les hommes qui les faisaient rire.

Ann l'accompagna jusqu'à la porte et dut se pencher légèrement pour lui serrer la main. Mais Spiggy, ce soir-là, mesurait un mètre quatre-vingt-dix. Il claqua la porte du petit véhicule jaune et démarra sur les chapeaux de roues dans un grand raffut de tuyau d'échappement. Ann se demanda si elle aurait dû avertir Spiggy que « moquette » s'écrivait avec deux « t »...

Le vacarme provoqué par Spiggy réveilla le prince Philip, qui se mit à pleurnicher. La Reine le prit dans ses bras. Elle appellerait le médecin dans la matinée.

25

Le dimanche matin, le docteur Potter, une jeune Australienne avec des problèmes de garde d'enfant, prit la main de Philip dans la sienne.

– Vous ne vous sentez pas un peu fourbu, monsieur Mountbatten, dans le genre à plat ?

La Reine s'agitait nerveusement au pied du lit. Elle espérait que Philip ne se montrerait pas grossier. Il l'avait si souvent placée dans des situations gênantes dans le passé.

– Evidemment, je me sens à plat, bordel, je suis couché ! aboya Philip en retirant sa main avec violence.

– Et vous êtes couché depuis… Tiens, c'est quoi ça ?

La Reine répondit :

– Depuis des semaines.

Mais le docteur regardait les titres des livres sur la table de chevet. *La Pensée du prince Philip*, *Les Mots du prince Philip*, *Les Nouveaux Mots d'esprit du prince Philip*, *La Conduite d'attelage en compétition*.

– Je ne savais pas que vous écriviez des livres, monsieur Mountbatten…

– Je faisais tout un tas de choses avant que ce salopard de Barker ne foute ma vie par terre !

Le docteur Potter examina les yeux de Philip, sa gorge, sa langue et ses ongles. Elle le fit asseoir sur le bord du lit et testa ses réflexes en tapant sur ses genoux avec un petit marteau brillant. Elle mesura sa tension artérielle. La Reine dut maintenir son mari en position couchée pendant qu'on lui faisait une prise de sang à la saignée du bras gauche. Le docteur utilisa une goutte de sang pour vérifier son taux de sucre.

– Normal, annonça-t-elle en jetant le papier réactif dans la corbeille à papier.

– Puis-je vous demander quel est votre diagnostic, docteur ? demanda la Reine.

– Pourrait bien s'agir d'une dépression clinique, répondit le docteur. A moins qu'il nous fasse une petite comédie… On peut voir votre pubis, monsieur Mountbatten ? fit-elle en essayant de desserrer la cordelière du pantalon de pyjama.

– Bas les pattes ! hurla le prince Philip.

– Dans ce cas, peut-on vous poser quelques questions ?

– Je peux répondre à n'importe quelle question, proposa la Reine.

– Non, j'ai besoin de savoir si sa mémoire flanche… Vous êtes né quand, Phil ? demanda le docteur d'un ton enjoué.

– Né le 10 juin 1921 à Mon Repos, Corfou, répliqua Philip mécaniquement, comme s'il se trouvait devant une cour martiale.

Le docteur rit :

– « Mon Repos » ! Vous vous fichez de moi, là. C'est l'adresse de Zsa Zsa Gabor, ça !

– Non, dit la Reine les lèvres serrées, il a tout à fait raison. Il est bien né dans une propriété appelée « Mon Repos ».

– Le nom de votre maman, Phil ?

– Princesse Alice de Battenberg.

– Comme le gâteau, hein [1] ? Et votre papa ?

– Prince André de Grèce.

– Des frères et sœurs ?

– Quatre sœurs. Margarita, mariée à Gottfried, prince von Hohenlohe-Langenburg, officier dans l'armée du IIIe Reich, Sophie, mariée au prince Christophe von Hesse, pilote dans la Luftwaffe…

– C'est assez avec vos sœurs, chéri, coupa la Reine.

_____

1. Gâteau spongieux, généralement bicolore et du genre étouffe-chrétien.

De trop nombreux squelettes sortaient en dansant du placard, assez en tout cas pour assister Fred Astaire dans une comédie musicale.

– Bon, pas de « détérioration mentale », décréta le docteur en gribouillant sur son ordonnancier. Essayez donc ces tranquillisants. Je reviendrai ce tantôt pour prélever de l'urine. Impossible de rester plus longtemps. J'ai une liste plus longue que la queue d'un kangourou.

En bas de l'escalier, le docteur dit :
– Et essayez voir de le nettoyer un brin, s'il vous plaît, il pue plus fort qu'un dingo dans sa tanière.

La Reine promit qu'elle ferait de son mieux mais, la dernière fois qu'elle avait essayé, expliqua-t-elle, il avait jeté l'éponge humide à travers la pièce. Le docteur rit :
– C'est marrant comment les choses évoluent. Figurez-vous que j'ai reçu le prix du duc d'Edimbourg. Médaille d'or. La dernière fois que j'ai vu votre mari, c'était à Adélaïde. Il portait un costard impec et dix kilos de fond de teint sur la figure.

Le docteur Potter se précipita dans la maison d'en face où l'attendait une autre visite. La pauvreté maltraitait les corps humains.

26

Harris était en deuil. Son chef, King, avait trouvé la mort sous les roues d'un camion qui livrait des boîtes de nouilles à l'entrée de service du Super-Hyper. Harris avait aboyé en guise d'avertissement. Trop tard.

Victor Berryman avait emballé King dans un sac en plastique et l'avait déposé dans une caisse de Johnny Walker. Il s'était ensuite rendu chez le propriétaire officiel de King, Mandy Carter, pour lui annoncer la nouvelle. Mandy, qui nourrissait rarement King et lui refusait souvent un abri dans sa propre maison, sanglota sur le corps de son chien. Harris la contempla avec cynisme. Pauvre King, pensait-il, il n'avait pas de collier. Il n'avait rien, pas même une écuelle à son nom.

Mandy téléphona de chez Victor Berryman à un bureau municipal. Des employés arrivèrent dans une camionnette verte, enfournèrent King dans un sac, jetèrent le sac au fond de la voiture et démarrèrent. La harde courut derrière la camionnette pendant plusieurs centaines de mètres et finit par abandonner. Chacun rentra chez soi.

Harris se dandina jusqu'à Hell Close et se tapit sous la table de l'entrée. Il refusa de manger (une succulente queue de bœuf), ce qui inquiéta quelque peu la Reine. Pas longtemps, nota Harris. Comme d'habitude, elle était trop occupée avec Philip pour donner à son chien l'attention qu'il méritait.

Après un petit somme, Harris aboya pour qu'on le laisse sortir. Il courut à travers les jardins jusqu'au bout de terrain soigneusement cultivé de Charles. Il piétina les petits tas de compost et éparpilla les semis dans les sillons tracés avec tant de soin le jour précédent. S'étant reposé un moment, il sauta sur le fil à linge et arracha un jean blanc de Diana, donna la chasse à un moineau et enfin se livra à un harassement sexuel en règle sur Kylie, qui ne demandait pas mieux. Si King lui avait appris quelque chose, c'est bien qu'il fallait être un dur de dur, pour survivre à Hell Close. Maintenant que King était mort, Harris avait bien l'intention de devenir le leader de la harde. Le Roi est mort, vive le Roi ! pensa Harris.

Le lundi matin, une lettre arriva, à la deuxième distribution.

Entrée des Artistes
Royal Theatre
Dumferline Bay
South Island
Nouvelle-Zélande

Très chère Maman,
J'ai à peine pu en croire mes oreilles en apprenant le résultat des élections. Habiter une cité de grande banlieue, mais c'est dingue, non ?
J'ai dit à Craig, le metteur en scène : « Je dois rentrer, Maman a besoin d'aide. » Mais Craig a fait remarquer : « Ecoute, Eddy, franchement, qu'est-ce que tu peux y faire ? »
J'ai réfléchi tant et plus et, comme d'habitude, Craig a raison. Quitter un spectacle, en plein milieu d'une tournée, serait une terrible faute professionnelle, non ?
Sheep ! marche très fort. La salle est pleine tous les soirs. Il faut dire que c'est un spectacle du tonnerre. Et quelle distribution d'enfer, Maman ! Que des vieux routards. Les costumes de moutons sont horriblement lourds à porter, alors danser et chanter... Mais je n'ai jamais entendu une seule plainte de qui que ce soit dans la troupe.

La Nouvelle-Zélande est assez ennuyeuse et terriblement attardée. Hier, j'ai vu une noce sortir de l'église. Vous ne devinerez jamais, le marié portait un pantalon pattes d'éph' et une cravate genre lacet. C'était d'un ringard !

Craig a fait une légère dépression mais il n'est jamais au meilleur de sa forme quand il pleut. Il a besoin d'éprouver le soleil sur son corps pour se sentir total.

Hier, c'était vraiment trop hilarant, l'une des vedettes – Jenny Love – a perdu son masque de mouton pendant son grand numéro avant le final du premier acte, « Ôte la laine de tes yeux ». Elle s'est littéralement décomposée et pouvait à peine bêler un seul mot. Eh bien, Craig et moi étions dans la salle et personne dans l'assistance n'a paru s'apercevoir que le masque de Jenny était tombé. A la vérité, Jenny possède un visage assez ovin.

Nous mettons le cap sur l'Australie, la semaine prochaine. On nous dit que les réservations sont satisfaisantes. Comme j'aimerais que vous puissiez voir Sheep !*, Maman. Les chansons sont adorables et la chorégraphie est époustouflante. Nous avons eu quelques problèmes avec l'auteur, Verity Lawson. Craig et elle ont rencontré un désaccord artistique de première importance à propos de la scène dans les abattoirs. Verity voulait que l'on hissât un mouton mort sur un crochet au fond de la scène et Craig exigeait que le bélier (rôle confié à Huggy-les-Bons-Tuyaux de Starsky et Hutch), exécute une danse de mort. Craig a eu le dernier mot, mais entre-temps Verity avait recouru à l'arbitrage de l'Union des écrivains et rendu les choses désagréables pour tout le monde. Bon, assez de pia-pia théâtral, je vous envoie une casquette de* Sheep ! *et aussi un programme. Comme vous le constaterez, en face de* Directeur de tournée, *j'ai fait mettre* Ed Windmount. *Toujours pour la paix des ménages, hein ?*

Baisers,

Ed

PS : j'ai reçu une lettre étrange de Granny me disant de me réjouir parce qu'on venait juste de conquérir l'Everest !

27

La Reine rencontra l'abruti d'ado dans la rue au moment où elle ouvrait la grille de Violet Toby. Il portait une casquette de base-ball arborant un *E*; probablement pour Elton, le chanteur populaire, se dit-elle. Elle lui demanda des nouvelles de Leslie, sa nouvelle demi-sœur.

– Elle braille toute la nuit, répondit-il.

La Reine remarqua qu'il avait de profonds cernes noirs sous les yeux.

– Elle a le vice, ajouta-t-il.

La Reine pensa qu'il était un peu dur de parler de vice pour un si petit bébé.

– C'est sa totote? demanda-t-elle en montrant une énorme tétine en caoutchouc qu'il portait attachée à un ruban autour du cou.

– Non, c'est la mienne, répondit-il.

– Mais n'êtes-vous pas un peu grand pour une totote? fit la Reine, intriguée.

– Non, c'est l'truc, dit l'abruti d'ado.

Il sortit un vaporisateur nasal du fouillis garnissant ses poches et, à la surprise de la Reine, se barbouilla la figure avec.

– Vous avez des problèmes de sinus?

– Non, éructa l'abruti, ça m'éclate.

Comme il s'éloignait en tétant sa totote, la Reine crut bon de l'avertir :

– Les lacets de vos souliers sont défaits!

L'abruti lui répondit sans se retourner :

– C'est pas des *souillers*, c'est des sketba. Et pus personne attache ses lacets. Sauf les golmons.

La Reine passa prendre Violet Toby et elles partirent toutes deux en direction de l'arrêt d'autobus en commentant la dernière crise survenue dans la famille de Violet. Une sombre histoire de mésentente conjugale avec adultère et fractures à la clé. En montant dans l'autobus, les deux femmes râlèrent contre le prix du trajet.

– Soixante pence de merde ! soupira Violet.

Une demi-heure plus tard, elles ramassaient des fruits et des légumes dans des cageots posés sur le sol pavé et les fourraient dans leurs sacs à provisions.

– Sûr qu'alles ont été lavées, affirma Violet en examinant des poires légèrement tachées.

Autour d'elles, les vendeurs du marché démontaient leurs stands. Des camionnettes de marque étrangère attendaient au bord du trottoir en faisant ronfler leurs moteurs. Des contractuelles rôdaient comme de gros chats. Les miséreux furetaient dans les ordures avant l'arrivée des équipes de nettoiement. La Reine se baissa et saisit quelques pommes à cuire tavelées qui avaient été poussées en tas dans le caniveau. Mais que fais-je, songea-t-elle, je pourrais aussi bien être à Calcutta. Elle mit les pommes dans son cabas.

Quand Violet et la Reine remontèrent dans l'autobus, elles tendirent chacune leurs soixante pence au conducteur. Ce dernier leur annonça :

– C'est quinze pence, prix fixe, maintenant, quel que soit le trajet.

– Depuis quand ? demanda Violet, incrédule.

– Depuis que M. Barker l'a annoncé, il y a une heure…

– Merci, monsieur Barker, fit la Reine en remettant dans sa bourse son gain inespéré de quarante-cinq pence.

– Donc, nous disons deux fois quinze pence.

– Oui, dit Violet en jetant trente pence dans le réceptacle en fer près du distributeur de tickets. Pour la Reine et moi.

Un lundi soir, la Reine, assise dans le living d'Ann, discutait bouts de ferraille avec Spiggy. Ann était en haut en train de s'apprêter pour la soirée au Club des Travailleurs et elle avait demandé à sa mère de faire la baby-sitter. Spiggy s'était mis sur son trente et un : une chemise blanche neuve, une nouvelle cravate ornée de têtes de chevaux et un pantalon en stretch noir qui tenait avec une large ceinture à la boucle en forme de tête de lion. Il avait fait ressemeler ses Santiags. En arrivant, il avait offert à Ann une rose en plastique enveloppée de cellophane. Elle penchait maintenant dangereusement vers la droite dans un vase en cristal de Lalique.

Spiggy s'était donné un mal fou pour se faire beau. Il avait nettoyé ses ongles avec son canif, acheté une nouvelle pile pour son rasoir électrique. Il était allé prendre un bain chez sa mère et avait soumis ses cheveux longs jusqu'aux épaules à un shampoing et un après-shampoing. Il avait fait l'emplette d'une bouteille d'after-shave chez le pharmacien – Senteur orientale – et s'en était aspergé le dessous des bras et le museau. Il avait soigneusement sélectionné sa joaillerie. Il ne voulait pas en faire trop. Il s'était décidé pour une épaisse chaîne en or autour du cou, son bracelet d'identité au poignet gauche, et seulement trois bagues. L'énorme, avec le crâne et les tibias croisés, la chevalière en rubis et la pièce en or montée sur anneau.

Ann avait choisi avec soin une robe-housse, qui dissimulait sa silhouette, et des souliers plats. Elle ne voulait pas encourager Spiggy dans l'idée que leur amitié serait sus-

ceptible de tourner à la relation sexuelle. Spiggy n'était pas
son type. Elle préférait les hommes bruns, minces, d'allure
délicate. La virilité latente de Spiggy l'effrayait un peu.
Ann avait besoin de sentir qu'elle contrôlait les hommes.

La Reine les accompagna jusqu'à la porte et les regarda
s'éloigner en direction de la camionnette. Si Philip appre-
nait la conduite de sa fille unique, il tuerait Spiggy, pensa-
t-elle. Elle mit la télévision pour regarder les nouvelles. A
en croire la BBC, le pays vivait une excitante régénéres-
cence. Tout était en train de changer. Le gaz et l'électricité
seraient moins chers, les rivières plus propres. La construction du Trident était abandonnée. Il n'y aurait désormais
pas plus de vingt élèves par classe. On consacrerait plus
d'argent aux livres scolaires, on formerait plus de médecins.
On ouvrirait de nouvelles écoles d'ingénieurs. Les remboursements de sécurité sociale seraient doublés. Les vire-
ments égarés ou en retard appartenaient au passé.

Un reportage montrait des travailleurs du bâtiment au
chômage assiégeant des centres de recrutement pour « le
plus vaste programme de construction et de rénovation
jamais entrepris dans ce pays » – selon l'expression du
correspondant local de la BBC.

Finies les habitations froides et humides. L'expert médi-
cal de la chaîne confirma que les économies réalisées sur
les maladies en relation avec l'humidité (bronchite, pneu-
monie, certaines formes d'asthme) seraient une bénédiction
pour la Sécurité sociale. On montra ensuite Jack Barker
agitant, sur le seuil du 10, Downing Street, le document qui
prévoyait ces miraculeux changements. La caméra exécuta
un zoom pour en montrer le titre, *Le Peuple de Grande-
Bretagne*, imprimé en bleu roi et entouré de visages multi-
ethniques souriant avec extase.

Une autre caméra cadrait les grilles à l'extrémité de
Downing Street, de telle manière qu'elles semblaient à
peine pouvoir contenir la foule se pressant en masse de
l'autre côté. Jack s'approcha d'un micro placé devant le
numéro 10.

– Ce gouvernement tient ses promesses. Nous avions promis de bâtir un demi-million de nouvelles maisons cette année et nous avons déjà procuré du travail à cent mille ouvriers du bâtiment libérés du chômage pour la première fois depuis des années !

La foule hurla, siffla et trépigna.

– Nous avions promis d'abaisser le prix des transports publics et nous l'avons fait !

Une fois de plus, la foule fut saisie de folie. La plupart des manifestants étaient venus en train, métro et autobus, abandonnant la voiture au garage.

Jack continuait :

– Nous avions promis d'abolir la monarchie. C'est chose faite. Buckingham Palace est débarrassé de ses parasites !

Un déplacement de la caméra montra la foule derrière la barrière acclamant plus que jamais. Des chapeaux furent jetés en l'air.

La Reine s'agita sur sa chaise, vexée de l'enthousiasme affiché par ses anciens sujets.

Les vivats s'espaçaient, Jack reprit alors, avec une ferveur nouvelle :

– Nous vous avions promis un gouvernement plus ouvert, c'est ce que nous allons faire à l'instant même. Ensemble, supprimons la barrière qui sépare le gouvernement du peuple. A bas les barrières !

Abandonnant son micro, Jack se précipita, dans la nuit tombante, vers la foule, à l'autre bout de Downing Street. A cet instant, l'hymne *Jérusalem* retentit dans les haut-parleurs et un groupe d'hommes et de femmes portant des combinaisons pare-feu et des masques de soudeur surgirent d'un camion. La foule se recula tandis que, brandissant leurs torches à oxyacétylène, ils s'attaquaient aux barreaux des grilles. On tendit un équipement complet à Jack, qui se mit en devoir de jeter à bas sa petite portion de grille. La nuit était tombée et la télévision continuait de montrer Downing Street, illuminée par la seule lueur des torches.

La Reine contemplait cette nouvelle manière de présenter

les infos avec une excitation grandissante. Elle aussi admirait le sens dramatique de Jack et son art des relations publiques. Si seulement elle avait pu faire appel aux capacités d'une personne telle que lui au bureau de presse de Buckingham Palace !

Lorsque les grilles s'écroulèrent sous l'effet d'une poussée parfaitement synchronisée, la foule les piétina et envahit Downing Street, entraînant Jack sur son passage jusqu'au numéro 10. Des feux d'artifice éclatèrent alors et l'on put voir les visages se tourner vers le ciel avec une expression de bonheur et d'espoir.

Tout comme la foule dans la rue et les millions de personnes devant leur poste, la Reine souhaitait ardemment que les plans coûteux concoctés par Jack pour la Grande-Bretagne se réalisent. Une tache d'humidité sur le mur de sa chambre à coucher s'agrandissait de jour en jour ; elle ne recevait jamais à temps le virement de sa retraite ; et la classe de William comptait trente-neuf enfants, qui n'avaient pas tous leur livre.

La discussion qui suivit porta sur les années Thatcher. La Reine trouva le sujet trop déprimant. Elle zappa sur John Wayne défendant la veuve et l'orphelin quelque part dans l'Ouest américain. Elle se demanda si elle appellerait Zara et Peter, qui, chez les Christmas, s'amusaient avec le dernier jeu vidéo, Tempête du désert, mais elle décida de n'en rien faire. Elle adorait regarder seule, sans être interrompue, les films de cow-boys.

En rentrant, Peter et Zara trouvèrent leur grand-mère endormie sur sa chaise. Ils éteignirent la télévision, sortirent sans bruit de la pièce et se mirent eux-mêmes au lit.

29

L'inspecteur en chef Holyland était de service lorsque l'équipe de télévision américaine débarqua à la barrière érigée au bout de Hell Close. Le cameraman, Randy Fox, un individu de sexe indéterminé et aux cheveux coupés ras, arborait des jeans, un tee-shirt blanc, des Nike et une veste de cuir noir ; s'il ne portait aucune trace de maquillage, on pouvait discerner des seins sous le tee-shirt. La journaliste avait l'apparence d'une excitante jeune femme en costume rose et répondait au nom de Mary Jane Wokulski. Sa chevelure dorée s'agitait comme une flamme dans la brise. Le preneur de son, Bruno O'Flynn, dressa son micro au-dessus du crâne de l'inspecteur en chef Holyland. Il détestait l'Angleterre et ne parvenait pas à comprendre comment qui que ce soit pouvait choisir d'y demeurer. Bordel de merde, il n'y avait qu'à reluquer le coin et les mecs. Ils avaient tous l'air en état de coma dépassé. Le producteur s'avança. La politique de la chaîne l'obligeait, lorsqu'il travaillait en Angleterre, à porter costume, chemise et cravate. Cet accoutrement était supposé lui ouvrir des portes, comme ils disaient.

Il s'adressa à l'inspecteur en chef :

– Salut, tout le monde ! On bosse pour NTV et on aimerait interviewer la reine d'Angleterre. Si j'ai bien compris, faut se pointer ici d'abord. Appelez-moi Tom.

Holyland jeta un regard sur son macaron d'identification.

– Il n'y a personne répondant à l'appellation « reine d'Angleterre » à Hell Close.

– Allez, mon pote, dit Tom en souriant, on sait qu'elle crèche par ici.

Mary Jane se préparait pour la caméra : elle ourlait avec soin ses lèvres avec un crayon noir et brossait les cheveux étalés sur ses épaules gainées de rose shocking. Randy râlait contre la lumière tout en hissant la caméra dans le creux de son épaule.

L'inspecteur en chef Holyland persévérait dans son refus, conforté dans son attitude par un acte tout récent du Parlement et la présence d'un car de police garé au coin de l'avenue des Delphiniums.

– Conformément à l'acte concernant l'ex-famille royale, section 9, paragraphe 5, il est interdit de photographier, filmer, interviewer lesdites personnes et de reproduire leurs propos dans la presse écrite et dans la presse audio-visuelle...

Randy grogna :

– Ecoutez ce mec, il parle comme s'il avait un hot dog dans le cul !

Tom adressa un large sourire à Holyland :

– OK, pas d'interview aujourd'hui, mais pourquoi ne pas filmer l'extérieur de la maison ?

– Et risquer de perdre mon travail... fit Holyland. Maintenant, s'il vous plaît, vous voyez bien que vous obstruez la voie publique...

Wilf Toby essayait de se glisser à travers la barrière. Il venait d'effectuer une tentative pour vendre une batterie de voiture volée. Il transportait ladite batterie dans le squelette de ce qui avait été autrefois une voiture d'enfant. Wilf, courbé au-dessus du guidon, ressemblait à une monstrueuse nourrice. Il n'avait pas bien dormi, et il avait même rêvé de la Reine. Des rêves érotiques très gênants. Il s'était réveillé plusieurs fois en ressentant une profonde honte. Il aurait aimé rêver de Diana mais, pour une raison mystérieuse, c'était toujours la Reine qui, dans ses fantasmes, partageait son lit.

Il s'attendait peu ou prou à ce que l'inspecteur en chef Holyland l'arrête en raison de ses maladroites agitations nocturnes, et il avait hâte de passer la barrière et de rentrer à la maison pour y mettre la batterie à l'abri.

Mary Jane s'approcha de Wilf :

— Puis-je vous demander votre nom, monsieur ? dit-elle d'un ton empressé.

— Wilf Toby.

— Wilf, ça fait quoi, d'avoir les royaux comme voisins ?

— Ben, v'savez, c'est comme... bon, ils sont...

— Juste comme vous et moi ? proposa Mary Jane.

— Ben, j'dirais pas vraiment ça, qu'y sont comme vous et moi, balbutia Wilf.

— Juste des gens ordinaires ? insista Mary Jane.

Mais Wilf restait debout, la bouche ouverte, à fixer l'œil de la caméra. Deux choses ahurissantes lui arrivaient : il parlait à une superbe fille américaine suspendue à ses lèvres et, dans le même temps, il était *filmé*. Comme il aurait aimé s'être rasé et avoir mis des pantalons convenables !

Mary Jane fronça légèrement ses sourcils pour indiquer aux téléspectateurs, là-bas, à la maison, qu'elle allait démarrer sec sur le chapitre des questions politiques sérieuses.

— Etes-vous socialiste, Wilf ? demanda-t-elle.

Socialiste ? L'angoisse étreignit Wilf. Le mot était désormais mêlé à des choses que Wilf ne comprenait pas ou dont il n'avait pas l'expérience. Des trucs comme le végétarisme, la sédition ou les droits des femmes.

— Non, non, j'suis pas un *socialiste*, précisa Wilf, j'vote travailliste comme les copains.

— Donc, vous n'êtes pas un *révolutionnaire*... insista Mary Jane.

Non, mais où c'est qu'elle voulait en venir maintenant ? se demandait Wilf. La panique le gagnait. Les révolutionnaires, c'est ceux qui font péter des bombes dans les avions, non ?

— Non, non, j'suis pas un *révolutionnaire* ! J'ai jamais été dans un aéroport, encore moins dans un avion...

Tom grogna et enfouit sa figure dans ses mains.

– Mais vous êtes un républicain, n'est-ce pas, Wilf?
continuait Mary Jane.

– Un... *publicain*? (Wilf avait du mal, à cause de l'accent de la dame.) Non, je ne m'occupe pas d'un pub. Je suis
chômeur.

Bruno ricana et stoppa son enregistrement.

– Le gus a autant de cervelle qu'un putain de mollusque,
tu veux vraiment continuer?

Tom opina.

Mary Jane se força pour un nouveau sourire.

– Wilf, comment la Reine réagit-elle à sa nouvelle vie?

Wilf s'éclaircit la gorge. Une flopée de clichés lui vinrent
à l'esprit:

– Ben, elle est pas *au-dessus* des nuages, mais elle est pas
en dessous des nuages non plus, si vous voyez c'que j'veux
dire. Moi, j'pense qu'elle est juste *dans* les nuages...

– Coupez! hurla Tom en se tournant rageusement vers
Mary Jane. On pourrait pas redescendre sur terre, oui ou
merde!?

Mary Jane intervint:

– C'est de ma faute si le gars est un peu *lent*? Nous
sommes dans une situation à la *Des souris et des hommes*,
Tom. C'est une sorte de Lenny que j'ai en face de moi. Pas
Léon Tolstoï, vu?

Wilf restait debout. Etait-il supposé partir ou rester? A
son grand soulagement, il aperçut Violet qui déboulait vers
la barrière. Il abandonna avec reconnaissance sa place
d'interviewé et roula sa batterie jusqu'à la maison. Il avait
totalement confiance en sa femme.

L'inspecteur en chef Holyland ayant fait un signe, le car
rempli de policiers s'approcha doucement de la barrière.
Les flics à l'intérieur se dépêchèrent de terminer les sandwichs et les Coca-Cola qu'on leur avait distribués quelques
minutes auparavant pour les calmer. Ils regardaient d'un air
féroce par les fenêtres du car, très désireux d'en découdre.
Ils virent Mary Jane occupée à interviewer Violet Toby (ou

du moins à essayer), l'inspecteur en chef Holyland aux prises avec les deux femmes et une équipe de télévision frustrée se démenant pour enregistrer une interview.

Le brigadier donna l'ordre d'enfiler les casques et de descendre du car en bon ordre. Exécution. En moins d'une minute, les Américains et Violet Toby furent encerclés par des policiers anglais et courtois, vêtus de bleu. L'inspecteur en chef Holyland extirpa Violet du lot et la pria de rentrer chez elle. Puis les Américains furent escortés jusqu'à leurs véhicules. On les avertit qu'à la prochaine violation de la « zone d'exclusion » on serait dans l'obligation de les arrêter.

Tom protesta :

– Ben merde, même à *Moscou* j'ai été vachement mieux reçu. Moi et Boris Eltsine, on s'est descendu une bouteille de Bourbon chacun.

L'inspecteur en chef Holyland dit :

– Voilà qui fut fort instructif pour vous, monsieur, c'est certain. Maintenant, si vous voulez bien vous donner la peine de regagner vos véhicules et de quitter l'aire de la Cité des Fleurs…

La Range Rover fit rugir son moteur en passant la barrière. Malgré le vacarme, on entendit Randy crier « … 'tind'tamair ! ». Ce qui plongea un plein car de policiers dans la plus grande incertitude. « Tind'tamair » ? Quel genre d'insulte était-ce là ?

La Reine observait la scène du haut de sa fenêtre. Seigneur, les bruyants Américains avaient fini par déguerpir… Elle pourrait peut-être aller faire ses courses.

30

Au volant de sa petite Citroën voyante, Trish McPherson pénétra dans Hell Close après avoir franchi la barrière. Elle avait trois clients à visiter, il lui fallait donc se presser. Cette après-midi se tenait une réunion de synthèse au Service social : les Threadgold réclamaient Lisa Marie et Vernon. Ils avaient entendu dire que les deux enfants avaient eu des os cassés dans leur gentille famille d'accueil, chez M. et Mme Duncan.

Trish redoutait les réunions de synthèse en présence des Threadgold. Il y avait toujours des larmes et de dramatiques protestations d'innocence de la part de Beverley et Tony. Trish aurait bien voulu croire qu'ils n'avaient jamais blessé leurs enfants, mais, de toute manière, ils ne l'admettraient jamais. Et Tony avait déjà été condamné pour violences, n'est-ce pas ? C'était écrit noir sur blanc dans le dossier : coups et blessures sur la personne d'un violeur de seize ans ; tabassage d'un videur dans une boîte de nuit ; insultes à agent.

Et puis il y avait Beverley. Elle se conduisait toujours de manière provocante pendant ces réunions, criait, hurlait. Une fois, elle avait même menacé Trish avec son poing levé. De toute évidence, le couple était instable. Certainement, les enfants se portaient mieux avec M. et Mme Duncan, qui possédaient un bac à sable dans leur jardin et une véritable bibliothèque de livres pour enfants.

Trish se gara devant la maison de la Reine. Elle jeta une couverture à carreaux sur son porte-documents ventru qui reposait sur la banquette arrière. Elle n'aimait pas rappeler à un client qu'elle s'occupait d'autres cas que le sien. De plus, cet objet faisait vraiment trop *officiel*. Cela les intimidait. Personne à Hell Close n'allait travailler avec un porte-documents. En réalité, presque personne n'allait travailler du tout. Trish aimait donner à chacun de ses clients l'impression qu'elle passait juste dans le coin et qu'elle était entrée pour bavarder.

Depuis sa fenêtre, la Reine regarda Trish ôter la stéréo du tableau de bord et la ranger dans un sac volumineux fabriqué dans ce qu'elle identifia comme la peau d'un chameau (elle avait visité Jaipur avec une escorte de deux cents chamelles – l'odeur !). Elle espéra un instant que Trish irait ailleurs, mais non, la voilà qui ouvrait la grille. Dieu que tout cela était fatigant...

Cinq minutes plus tard, les deux femmes étaient assises de chaque côté du chauffage au gaz éteint et sirotaient une tasse d'Earl Grey. Trish avait fourni les sachets de thé qui sentaient légèrement le chameau, du moins c'est ce qu'avait pensé la Reine pendant qu'elle mettait à bouillir l'eau.

– Alors, comment *vont* les choses ? demanda Trish d'une voix qui invitait aux confidences.

– Les choses vont d'une manière plutôt horrible, répondit la Reine. Je n'ai pas d'argent, les télécommunications britanniques menacent de me couper le téléphone ; ma mère pense qu'elle est revenue en 1953 ; mon mari se laisse mourir de faim ; ma fille s'est embarquée dans une romance avec mon poseur de moquette ; mon fils passe devant le tribunal jeudi ; enfin, mon chien a des puces et tourne au hooligan.

Trish tira sur ses chaussettes et ses pantalons. Elle était allergique aux morsures de puces, malheureusement, dans son cas, c'était une sorte de maladie du travail. Harris se grattait dans un coin en contemplant les deux femmes qui soulevaient les tasses délicates jusqu'à leurs lèvres.

Trish regarda la Reine droit dans les yeux (très important d'établir un contact visuel) et déclara :

– Je me doute que vous souffrez d'un manque d'estime de vous-même, n'est-ce pas? Je veux dire que vous avez été tout en haut (elle levait son bras en même temps) et désormais vous êtes tout en bas. (Elle laissa retomber brusquement son bras, comme le couperet d'une guillotine.) Vous devez en quelque sorte vous ré-inventer, trouver un nouveau style.

– Je suis trop pauvre pour songer au style, fit la Reine, irritée.

Trish arbora son horrible sourire de compréhension. Elle fit une pause et baissa la tête comme si elle se demandait si, oui ou non, elle dirait ce qu'elle avait à l'esprit. Puis, redressant les épaules d'une manière décisive, elle énonça :

– Vous savez, je pense que, quelque part, il se peut, même si, à ce niveau, il s'agit d'un cliché réellement éculé…

La Reine aurait volontiers balancé quelque chose de lourd à la tête de Trish. La crosse de Black Rod[1] aurait parfaitement fait l'affaire, pensa-t-elle. Mais l'autre se penchait en lui prenant la main :

– Dans la vie, les meilleures choses sont gratuites. La nuit, allongée dans mon lit, je regarde les étoiles et je me parle à moi-même : Trish, ces étoiles constituent autant de petites pierres qui conduisent à l'inconnu. Le matin, je me réveille, j'entends chanter les oiseaux et je dis à mon partenaire : « Oh, écoute, l'horloge de la nature une fois de plus sonne l'heure. » Bien sûr, il fait semblant de ne pas m'entendre…

Trish sourit en dévoilant toutes ses dents. La Reine ressentit une soudaine compassion pour le partenaire de Trish.

L'un des réveille-matin de la nature avait déféqué sur la fenêtre. La Reine observa la longue striure blanche en forme de point d'interrogation qui maculait la vitre dans sa longueur.

---

1. Le jour de l'ouverture du Parlement, le *Gentleman Usher of the Black Rod* précède la souveraine et heurte à la porte avec sa crosse afin qu'on la laisse pénétrer.

– Cela dit, en quoi puis-je vous aider ? demanda brusquement Trish, qui jouait désormais sur la corde pratique et factuelle, Trish-la-femme-énergique-qui-prend-la-vie-à-bras-le-corps.

– Il est impossible de m'aider, dit la Reine. La seule chose dont j'aie besoin pour l'instant, c'est d'argent.

– Il existe bien quelque chose que je puisse faire... insista Trish.

– Vous pourriez essayer de récupérer votre porte-documents, suggéra la Reine, un jeune garçon est en train de s'enfuir avec.

Trish se précipita hors de la maison mais, parvenue sur le trottoir, elle n'aperçut nul signe d'un garçon ou du porte-documents. Elle éclata en sanglots. La Reine sourit, elle avait fait un horrible mensonge. Ce n'était pas un jeune garçon qui avait fauché le porte-documents, c'était Tony Threadgold.

Plus tard, le même jour, Tony vint voir la Reine avec un dossier débordant de paperasse. Lorsque, les rideaux tirés, ils furent assis côte à côte sur le canapé, il extirpa une lettre du dossier :

– C'est d'un docteur, à l'hôpital.

La Reine prit la lettre des mains de Tony et la lut. Selon le pédiatre, Lisa Marie et Vernon Threadgold souffraient d'une maladie qui rendait les os fragiles et cassants.

– L'enveloppe était pas ouverte, dit Tony. Trish l'a même pas lue...

La Reine comprit immédiatement que ce diagnostic absolvait Beverley et Tony de l'accusation de mauvais traitements à enfants. De la maison voisine lui parvinrent des bruits de meubles secoués et traînés.

– C'est Bev, la renseigna Tony avec un sourire qui illuminait son visage, alle nettoye et alle range la chambre des mômes.

31

Le matin suivant, la Reine reçut une lettre, dont l'enveloppe était rédigée comme suit :

Au Locataire du
9, Hellebore Close
Cité des Fleurs
Middleton MI2 9WL

A l'intérieur, se trouvait une lettre manuscrite sur papier bleu, qui commençait ainsi :

Erilob
39, allée du Terrier-de-Renard
Upper Hangton
par Kettering
Northamptonshire

A Sa Majesté
La reine Elizabeth II,
Par la Grâce de Dieu,
du Royaume-Uni,
de Grande-Bretagne et d'Irlande du Nord,
et de ses autres
Royaumes et Territoires,
Chef du Commonwealth,
Défenseur de la Foi.

Chère Votre Majesté,
Oserai-je vous prier humblement de m'autoriser à me présenter ? Je suis Eric Tremaine, un bon et loyal sujet,

horrifié par ce qui est arrivé à ce pays, qui autrefois fut grand, et à ses habitants. Je sais que le traître et fourbe Jack Barker a interdit à vos sujets de vous approcher, mais j'ai décidé de jeter ma serviette sur le ring et de le provoquer. Si cela signifie qu'un jour je serai exécuté pour ma présomption, que cela soit (j'ai déjà subi l'amputation de deux doigts dans un accident du travail, par conséquent j'ai moins à perdre que bien d'autres).

La Reine interrompit sa lecture, saisit deux toasts qui brûlaient dans le grille-pain et les expédia par la fenêtre. Une fumée noire envahit la pièce. Elle se servit de la lettre de Tremaine comme d'un éventail pour la disperser. Lorsque l'atmosphère se fut éclaircie, elle reprit sa lecture.

Votre Majesté, j'ai posé ma tête sur le billot et créé un nouveau mouvement, il s'appelle BOMB (Brandissons l'Oriflamme du Monarque Blackboulé). Ma femme Lobelia est très douée pour les jeux de mots (reportez-vous à l'en-tête pour le plaisant nom de notre demeure, une preuve supplémentaire des talents de Lobelia!).

Vous n'êtes plus seule, Votre Majesté! Nous sommes nombreux à Upper Hangton à marcher derrière vous!

Cet après-midi, Lobelia et moi-même nous rendons à Kettering afin de recruter de nouveaux membres pour BOMB. En temps normal, nous nous tenons à l'écart du tohu-bohu des grandes cités, mais nous avons surmonté notre appréhension. La Cause est plus importante que notre peu d'attrait pour le tourbillon citadin que Kettering est devenu, j'en ai peur, dans les années quatre-vingt-dix.

Lobelia, ma femme depuis trente-deux ans, n'a jamais été du genre à se pousser en avant. Dans le passé, elle a préféré laisser des personnalités plus affirmées, comme moi, affronter la lumière des sunlights (je suis le président de plusieurs sociétés, Modélisme ferroviaire, Comité des résidents d'Upper Hangton, Campagne pour le maintien des chiens dans les parcs publics, j'en passe et des meilleures!).

Ma femme si discrète est pourtant prête à aborder de parfaits étrangers et à les recruter pour BOMB, et en plein centre ville, s'il vous plaît! Ceci est bien la preuve de son dégoût pour ce qui est arrivé à notre famille royale bien aimée.

Jack Barker flatte les appétits grossiers du peuple et essaie de nous abaisser au rang des animaux. Il ne sera satisfait que lorsque nous vivrons tous dans la promiscuité sexuelle, dans les champs et les pâturages de ce qui fut autrefois notre verte et plaisante patrie.

Des porcs comme Barker n'accepteront jamais l'idée que certains d'entre nous sont nés pour gouverner alors que d'autres ont besoin d'être commandés et dirigés pour leur propre bien.

Bon, je dois m'arrêter maintenant. Il me faut me rendre au numéro 31 chercher les tracts de BOMB. M. Bond, propriétaire au numéro sus-nommé, a aimablement ronéoté les tracts mentionnés plus haut!

Pour l'heure, BOMB est modeste mais il grandira. Bientôt, on trouvera des succursales de BOMB dans chaque hameau, village, cité et agglomération urbaine de notre pays! Soyez sans crainte! Vous vous assoirez de nouveau sur le Trône!

Je demeure, Votre majesté,
Votre plus humble serviteur

Eric P. Tremaine

La Reine posa la lettre sur le plateau de Philip, pensant qu'elle pourrait le divertir. Mais quand elle revint, vingt minutes plus tard, elle constata que le petit déjeuner n'avait pas été mangé ni la lettre lue : elle était toujours à la même place, sous le bol de porridge.

– J'ai reçu une lettre plutôt amusante ce matin, chéri, désirez-vous que je vous la lise? fit-elle d'un ton enjoué. (Le médecin avait conseillé de stimuler le prince.) Elle est envoyée par un bonhomme nommé Eric P. Tremaine. Je me demande si « P » signifie Philip. Ce serait une amusante coïncidence, n'est-ce pas? N'est-ce pas, Philip?

La Reine se rendait bien compte qu'elle s'adressait à son mari sur le ton qu'elle emploierait pour discuter avec une limace léthargique, mais elle ne pouvait pas s'en empêcher. Il refusait de parler, de marcher. Et de manger, maintenant ! C'était à proprement parler *exaspérant*. Il fallait rappeler le médecin. Elle ne pouvait pas rester là à le regarder se laisser mourir de faim. Il était si maigre. Il ne se ressemblait plus du tout. Il avait des cheveux blancs, une barbe blanche, et, sans ses verres de contact teintés, ses yeux avaient la couleur des jeans délavés dont les gens raffolaient à Hell Close.

Soudain, il redressa la tête de son oreiller et hurla :

– Je veux Hélène !

– Qui est Hélène, chéri ? demanda la Reine.

Mais la tête de Philip retomba en arrière. Ses yeux se fermèrent et il eut l'air de dormir. La Reine descendit et décrocha le téléphone. Pas de tonalité. Elle raccrocha puis décrocha plusieurs fois, mais aucun ronronnement rassurant ne se fit entendre. Les télécommunications britanniques avaient mis à exécution leur menace d'interrompre la ligne parce qu'elle n'avait pas payé sa facture.

Elle enfila son manteau et sortit en vitesse de la maison, serrant dans sa main une pièce de dix cents et son carnet d'adresses. Parvenue dans la cabine puante, elle vit qu'elle ne pouvait qu'appeler le 999, les urgences. Elle eut l'impression curieuse de commettre un acte délictueux, comme de bousiller gentiment une cabine téléphonique. Le cas de Philip relevait-il vraiment du 999 ? Sa vie était-elle menacée ? Elle décida que oui et composa le 999.

– Allô, quel service demandez-vous ?

– Les ambulances.

– Ne quittez pas.

Le téléphone sonna, sonna, sonna. De temps à autre, une voix de femme venait en ligne : « Ceci est un message enregistré. L'ensemble des lignes du service des ambulances est saturé. Vous êtes en attente. Soyez patient. Merci. »

La Reine patientait. Un homme faisait de même, debout à l'extérieur. Elle ouvrit la porte.

– Je suis terriblement désolée, mais on ne peut appeler que le 999 de cette cabine.

Elle pensait bien que l'homme montrerait une certaine contrariété, mais sûrement pas la panique qui soudain envahit son visage déjà lugubre :

– Faut qu'j'appelle le bureau d'l'allocation logement avant dix heures, sinon y vont m'sortir d'l'ordinateur !

La Reine jeta un coup d'œil sur la montre qu'elle portait au poignet depuis l'âge de vingt et un ans. Il était neuf heures quarante-trois. Rien n'était jamais *simple* à Hell Close, pensa-t-elle. Rien ne marchait jamais. Tout le monde semblait perpétuellement en état de *crise*, y compris elle-même, il fallait bien l'admettre.

Elle regarda autour d'elle. La moitié au moins des maisons étaient connectées aux fils du téléphone, mais elle savait qu'il ne s'agissait que de symboles de communication. Quelque part, quelqu'un, dont le métier consistait à débrancher les impécunieux, avait retiré la prise et retranché la plupart des habitants de Hell Close du reste de l'humanité. Les notes de téléphone n'étaient pas prioritaires lorsqu'on avait un tel besoin d'argent pour la nourriture, les chaussures, les trajets scolaires, le nécessaire pour les enfants. Elle-même avait depuis longtemps pillé la cruche dans laquelle elle conservait l'argent du téléphone pour acheter lessive, savon, collants, épicerie et un cadeau d'anniversaire pour Zara. Bien sûr, elle s'était promis de remettre l'argent à sa place mais cela s'était révélé impossible, compte tenu du montant de sa retraite et de celle de Philip. Et encore, Philip ne mangeait *rien*. Comment se débrouilleraient-ils lorsqu'il serait guéri de sa maladie, quel que soit son nom, et qu'il retrouverait son féroce appétit ? Elle aussi attendait son allocation de logement, c'est pourquoi elle compatissait au malheur de l'homme inconnu.

– Venez avec moi, fit-elle en sortant de la cabine.

Ses relations avec la princesse Margaret s'étaient fortement distendues ces derniers temps, mais on se trouvait devant une urgence. Alors qu'ils traversaient la rue en

direction du numéro 4, l'homme lui raconta qu'il était un
ouvrier qualifié, il installait des magasins mais il n'y avait
plus de travail.

— La récession, dit-il avec amertume. Qui c'est qu'aurait
l'idée d'*ouvrir* un magasin ? J'ai fait des pancartes À VENDRE
pendant quéque temps, pis j'ai été foutu à la porte. Qui
c'est qu'aurait l'idée d'*ach'ter* un magasin ?

La Reine opina de la tête. Lors de ses rares visites en
ville, elle avait été frappée par le nombre de panonceaux
À VENDRE. La plupart des boutiques de la Cité des Fleurs
étaient réduites à l'état de fantôme. Seul Hyper-Super avait
l'air de bien se porter.

Elle se souvint du jour où, à la place de sa marque habi-
tuelle, elle avait acheté à Harris la nourriture pour chiens
« maison » de Hyper-Super. Pas par choix, mais la boîte
coûtait dix pence de moins. La première fois, Harris avait
refusé et aussitôt commencé une grève de la faim. Mais, au
bout de trois jours, il capitulait, sous l'effet de la faim, non
de la raison.

Ils étaient parvenus devant la maison de la princesse
Margaret. Les rideaux étaient tirés hermétiquement. On ne
pouvait rien apercevoir de l'extérieur. La Reine ouvrit la
grille et fit à l'homme un signe de la main l'invitant à la
suivre.

— Puis-je vous demander votre nom ?
— George Beresford.

Ils se serrèrent la main sur les marches.

— Je suis madame Windsor, dit la Reine.
— Oh, je sais qui vous êtes. Vous avez eu quéques
emmerdes aussi, non ?

La Reine reconnut que c'était effectivement le cas tout en
manœuvrant le heurtoir en forme de tête de lion. On entendit un mouvement à l'intérieur et la porte s'ouvrit sur
Beverley Threadgold, le chiffon à la main. Elle travaillait
désormais comme femme de ménage chez Margaret. Elle se
montra ravie de voir la Reine.

– Ma sœur est-elle là ? demanda cette dernière en remorquant George derrière elle.

– Elle est dans son bain, répondit Beverley. Je vous offrirais bien une tasse de thé mais je n'ose pas : elle compte les sachets.

La jeune femme désigna le plafond du regard. Là-haut, sa nouvelle patronne faisait trempette dans des lotions de bain hors de prix. Beverley redressa sa coiffe de soubrette et fit la grimace :

– J'ai vraiment l'air con avec ce truc. En tout cas, c'est un boulot.

– Ça paie bien ? demanda George.

Beverley eut une moue de dédain.

– Une livre et vingt putains de pence de l'heure.

La Reine était très embarrassée. Elle se précipita pour changer de sujet :

– M. Beresford et moi-même aimerions utiliser le téléphone, pensez-vous que cela soit possible ?

– J'paierai, prévint George en montrant une collection de pièces d'argent qu'il serrait dans sa main.

La Reine jeta un coup d'œil sur la pendule de son grand-père qui ornait l'étroit couloir. Il était neuf heures cinquante-neuf.

– Passez le premier, dit-elle à George.

Beverley ouvrit la porte du séjour. Ils étaient sur le point d'y pénétrer lorsque la princesse Margaret apparut en haut des escaliers.

– Je suis tout à fait désolée, cria-t-elle, mais je dois vous demander d'ôter vos chaussures, ces tapis sont très fragiles.

George Beresford devint tout rouge. Il regarda ses baskets qui tombaient en lambeaux. De plus, il ne portait pas de chaussettes. Il lui était impossible d'exhiber ses pieds nus. Pas devant ces trois femmes. Ils étaient horribles, ses pieds, avec des orteils poilus et des ongles incarnés.

La Reine leva les yeux vers sa sœur qui séchait ses cheveux à l'aide d'une serviette et dit :

– J'aimerais mieux ne pas retirer mes chaussures, est-ce que le fil est assez long pour venir jusqu'ici ?

Beverley leur apporta le téléphone. En tirant au maximum sur le fil, il atteignait avec peine la porte, mais George parvint à composer le numéro.

Il écouta attentivement la sonnerie.

Beverley nettoyait les vitres de Margaret. La Reine se demandait combien étaient payées les servantes de Buckingham Palace. Certainement plus d'une livre vingt de l'heure.

– Occupé, dit George. (Il paniquait pour de bon. L'horloge du grand-père venait de sonner dix heures.) J'ai été viré de l'ordinateur.

– Essayez encore une fois, le pressa la Reine. Les ordinateurs tombent toujours en panne, n'est-ce pas ? Du moins est-ce ce que l'on m'affirme toujours lorsque j'appelle au sujet de mon allocation de logement.

George essaya encore une fois. En vain. Toujours occupé.

Il fit un troisième essai et on lui répondit immédiatement. Tuant. Il n'avait jamais su se servir correctement d'un téléphone. Il préférait regarder les yeux de la personne qui lui parlait. Il se mit à hurler :

– Allô, c'est bien l'allocation d'logement ? Bon, Bon. On m'a dit d'appeler avant dix heures mais... Oui, je sais, mais... C'est George Beresford à l'appareil. J'ai c'te lettre qui dit d'appeler avant dix heures et que j'pourrai avoir...

George s'arrêta de parler. Il écoutait. D'en haut parvenait le ronron du sèche-cheveux.

– Sûr, mais... reprit George, « Faut bien dire que... (Il s'écarta légèrement de la Reine en baissant le ton.) 'Coutez, j'ai comme un problème. J'aurais dû payer le loyer sur mon indemnité de chômage mais y m'reste pus rien.

A la manière dont il contorsionnait son visage, la Reine comprit que quelqu'un lui énonçait des faits qu'il ne voulait pas entendre, avait déjà entendu une douzaine de fois, ou encore qu'il ne voulait pas croire.

– Raccrochez pas ! cria George dans le téléphone. (Il se tourna vers la Reine.) Y disent comme ça qui z'ont pas mes papiers. Y trouvent rien de mon dossier...

La Reine saisit le téléphone et, de son ton autoritaire et royal, elle dit :

– Allô, c'est le conseil de M. Beresford à l'appareil. Je dois vous avertir que si M. Beresford n'a pas reçu son mandat d'allocation logement demain matin au premier courrier, nous nous verrons dans l'obligation d'engager des poursuites contre votre chef de service.

Beverley gloussa mais George ne trouvait pas ça drôle du tout. On ne pouvait pas se permettre de se moquer d'*eux*. La conduite de la Reine le surprenait, vraiment. Mais, lorsqu'elle lui rendit le combiné, il entendit l'employé lui assurer que sa réclamation serait traitée de manière prioritaire. George reposa le téléphone et demanda ce que signifiait « prioritaire ».

– Cela signifie qu'ils vont miraculeusement retrouver votre réclamation, qu'ils s'en occuperont aujourd'hui et posteront votre chèque.

George s'assit sur les marches et écouta la Reine qui appelait le bureau du médecin et demandait si le docteur australien pouvait revenir au 9, Hellebore Close, pour voir M. Mountbatten, dont l'état s'était détérioré.

Puis la Reine et George Beresford dirent au revoir, posèrent trente-cinq pence sur la table de l'entrée et s'en furent.

Le docteur Potter contempla Philip allongé sur son lit et hocha la tête.

— J'ai déjà vu du plancton qui avait meilleure mine, constata-t-elle. Quand s'est-il nourri pour la dernière fois ?

— Il a pris un biscuit apéritif, il y a trois jours, répondit la Reine. Ne serait-il pas mieux à l'hôpital ?

— Ouais, fit le docteur, il faut le mettre sous perfusion, le réhydrater.

Le prince Philip ne percevait même pas les deux femmes qui regardaient son corps émacié avec autant de sollicitude. Il était ailleurs, conduisant un attelage dans le parc de Windsor.

— Je rassemble des affaires dans un sac de voyage, n'est-ce pas ?

— Faut d'abord que je lui dégotte un lit, fit le docteur.

Elle sortit son téléphone portable et se mit à composer des numéros. Entre les réponses, elle raconta à la Reine qu'on avait fermé trois services de médecine, la semaine dernière, ce qui faisait trente-six lits en moins.

— Et la semaine prochaine, même chose avec un service de pédiatrie. Dieu seul sait ce qui se passerait si trop d'urgences se présentaient au même moment…

La Reine s'assit sur le lit et écouta les hôpitaux refuser les uns après les autres l'admission de son mari. Le docteur Potter argumentait, faisait du charme, éventuellement élevait la voix, mais rien à faire. Il n'existait pas un seul lit de disponible dans toute la région.

– Bon, on va essayer les hôpitaux psychiatriques, fit le docteur Potter, il n'a plus sa tête, par conséquent c'est une indication psychiatrique.

La Reine était horrifiée.

– Mais il relève des urgences, de soins *médicaux*, n'est-ce pas ?

Mais le docteur Potter était déjà en ligne :

– Grimstone Towers ? Docteur Potter, généraliste à la Cité des Fleurs. J'ai un dingue à vous envoyer. Dépression chronique, refus de s'alimenter, il a besoin d'être intubé et perfusé. Z'avez un lit ? Non ? C'est déjà plein en médecine ? C'est ça ? Ouais ? Demain ?

Elle eut un signe interrogateur en direction de la Reine. Celle-ci hocha la tête avec gratitude. Elle ferait de son mieux pour que son mari avale quelque chose ce soir, et demain il serait entre les mains sûres de professionnels. Elle se demanda à quoi ressemblait Grimstone Towers. Le nom la fit frissonner, il évoquait le genre d'établissement que l'on entr'aperçoit à la lueur d'un éclair au début des films d'horreur anglais.

33

Deux heures avant le début du procès, un car de police
nettoya les abords du tribunal. Tous les journalistes de la
presse écrite ainsi que les reporters de la radio et de la télévision qui s'étaient déplacés pour couvrir l'événement
furent embarqués en direction d'un camp de l'ex-RAF, près
de Market Harborough, où ils passèrent la journée bouclés
dans une grande salle, à consommer force bouteilles de vin
anglais – le seul qui leur fut servi.

L'agent Ludlow se retrouvait dans le box des témoins,
essayant désespérément de se rappeler les mensonges qu'il
avait proférés lors de la première audience.

Le procureur de la Reine, un gros bonhomme redoutable
nommé Alexander Roach, guidait à sa manière le témoignage de Ludlow. Il désigna le box de ses bajoues trem-
blotantes :

– Reconnaissez-vous ici l'accusé ? demanda-t-il, en faisant mine de consulter ses notes. Charlie Teck, c'est bien
ça ?

– Oui, affirma Ludlow. C'est celui qui est en survêtement, avec une queue de cheval.

La Reine était furieuse contre Charles. Elle lui avait
demandé – non, *ordonné* – de couper ses cheveux court sur
la nuque et les côtés et de porter son blazer et ses pantalons
de flanelle. Mais il avait refusé avec obstination. Du coup,
il ressemblait à un *pauvre*, enfin, à une personne sans éducation.

Privé du secours de son carnet de notes, Ludlow hésitait

et trébuchait dans son témoignage. Ian Livingstone-Chalk, l'avocat représentant Charles, se dressa en souriant cruellement en direction du policier.

Ian Livingstone-Chalk était un enfant unique. Durant sa jeunesse, il n'avait eu comme seul compagnon que son image dans le miroir. Il n'était qu'apparence, sans aucune substance, et beaucoup trop occupé par l'impression qu'il donnait aux autres pour s'intéresser, de quelque manière que ce soit, aux indices fournis par les témoins.

– Agent Ludlow, avez-vous pris des notes au moment des faits, le jour en question ?

– Oui, monsieur, répondit calmement Ludlow.

– Très bien. Avez-vous en votre possession le carnet dans lequel ces notes ont été par vous consignées ?

– Non, monsieur, dit Ludlow, de plus en plus calme.

– Non ! ? aboya Livingstone-Chalk. Et pourquoi, si je puis me permettre ?

– Parce que je l'ai laissé tomber dans le canal.

Livingstone-Chalk se tourna vers le jury et le gratifia de son sourire cruel soigneusement étudié.

– Vous-l'avez-laissé-tomber-dans-le-canal, dit-il en détachant chaque mot pour laisser le scepticisme combler les vides. Et vous est-il possible d'informer le jury, agent Ludlow, de ce que vous faisiez *près* du canal, *au-dessus* du canal ou *dans* le canal ?

– Je portais secours à un cygne en détresse, monsieur, chuchota presque Ludlow.

Livingstone-Chalk devint blanc comme un linge.

Deux jurés firent « Ah ! » et regardèrent Ludlow avec des yeux différents.

Charles dit :

– C'est ridicule !

Le juge ordonna à Charles de se taire :

– Je suis extrêmement surpris que vous trouviez ridicule l'action de porter secours à un cygne, compte tenu du fait que, il y a peu, votre mère était la propriétaire de tous les cygnes de ce pays. Continuez, monsieur Livingstone-Chalk…

La Reine roula de gros yeux en direction de Charles dans l'espoir de l'amener à se taire. Puis elle tourna les mêmes yeux vers Livingstone-Chalk pour lui faire comprendre qu'il convenait de contre-interroger Ludlow sur ses préten- dues activités de secoureur de cygnes. Mais, ignorant cette opportunité tombée du ciel, l'avocat s'embourba dans des détails infimes concernant la bagarre. Les jurés commencè- rent à s'ennuyer et cessèrent vite d'écouter.

Livingstone-Chalk finit par se rasseoir. Alexander Roach se dressa d'un bond et demanda, fort opportunément :

– Une dernière question : le cygne en détresse a-t-il été sauvé ?

Ludlow savait que les termes de sa réponse revêtaient une importance capitale. Il prit tout son temps :

– En dépit de mes efforts, du bouche-à-bouche et du mas- sage cardiaque pratiqués, je suis au regret de dire que le cygne est mort dans mes bras.

La Reine éclata de rire et toute l'assistance se retourna pour la regarder fixement. Elle reprit rapidement le contrôle d'elle-même et l'audience se poursuivit. Charles, Beverley et Violet déposèrent à leur tour, chaque récit corroborant le précédent.

A l'accusation d'avoir incité une foule à tuer l'agent Lud- low, Charles protesta :

– Ce fut un stupide malentendu.

– Un *malentendu* pour vous peut-être, Teck, mais l'agent Ludlow, ici présent, un homme capable de montrer tant de tendresse à un cygne, a été grièvement blessé par vous, n'est-ce pas ?

– Non, rétorqua Charles, très rouge, il n'a pas été griè- vement blessé, ni par moi ni par qui que ce soit. Il s'est simplement égratigné le menton en tombant sur la chaussée.

L'assistance se tourna pour contempler le menton de Lud- low, maintenant orné d'une barbe.

Roach dit, dans une envolée dramatique :

– Un menton tellement couturé de cicatrices que l'agent

Ludlow est dans l'obligation de porter une barbe pour le restant de ses jours.

Les jurés rasés de près hochèrent la tête avec sympathie.

A l'interruption de séance, en milieu de journée, Margaret demanda :

– Où Charles a-t-il bien pu dégotter ce Ian Livingstone-Chalk ? A la porte de l'Ordre des avocats, enchaîné à une grille ?

Ann fit remarquer :

– Si les cloches volaient, Charles serait chef d'escadrille, mais il aurait sûrement mieux assuré sa défense lui-même...

Comme ils se sustentaient de sandwichs au bacon dans la cafétéria du tribunal, Diana interrogea la Reine :

– A *votre avis*, comment Charles va-t-il s'en sortir ?

Elizabeth ôta avec délicatesse un morceau de gras de sa bouche, le déposa sur le bord de son assiette en carton et répondit :

– Comment s'en est sortie Jeanne d'Arc après que la torche eut enflammé le bûcher ?

Ce fut lors de sa plaidoirie finale que Ian Livingstone-Chalk ruina définitivement les dernières chances de son client d'être acquitté. Il en était au caractère de Charles et à l'analyse de son passé :

– Enfin, mesdames et messieurs les jurés, considérez l'homme qui se tient devant vous. Un homme issu d'un milieu défavorisé. (Quelques jurés levèrent les sourcils.) Oui, *défavorisé*. Il voyait peu ses parents. Sa mère travaillait et s'absentait souvent à l'étranger. A un âge plus que tendre, il fut condamné à endurer les privations et les humiliations d'une école élémentaire privée anglaise puis, horreur ultime, d'une *public school écossaise* ! Le régime était cruel : nourriture infecte et dortoirs non chauffés. Chaque nuit, il pleurait sur son oreiller tant il se languissait de son foyer.

C'est à cet instant précis que le procès fut perdu sans recours. L'un des jurés, un quincaillier qui serait plus tard élu président du jury, chuchota à un autre : « Sortez les mouchoirs ! » Mais Livingstone-Chalk continuait de plus belle, manifestement inconscient de l'agressivité montante du juge et des jurés.

– Est-il étonnant que cet enfant solitaire se soit adonné à la boisson ? Chacun de nous n'est pas près d'oublier le choc qu'il ressentit en apprenant que l'héritier du trône avait été sorti d'un débit de boissons après avoir consommé une quantité incalculable de cherry brandy.

On entendit Charles marmonner :

– Je n'en avais bu qu'un seul…

Le juge lui intima l'ordre de se taire.

Livingstone-Chalk continuait avec l'ardeur sans faille de celui qui exécute un plongeon spectaculaire dans une piscine et ne sait pas qu'elle est vide :

– Cet homme réduit à l'état d'épave pathétique mérite notre pitié, notre compréhension, notre équité. Ce qu'il a fait est *mal*, certes. Est-il jamais *bien* de crier « Mort aux vaches » et de frapper un policier ? Non, non et non…

Charles dit entre ses dents :

– Mais je n'ai *jamais* fait ça ! De quel côté êtes-vous, à la fin, Livingstone-Chalk ?

Le juge lui ordonna de se tenir tranquille, sous peine d'autres poursuites pour outrage à la Cour.

Livingstone termina en apothéose :

– Soyez miséricordieux, mesdames et messieurs du jury. Pensez au petit garçon qui appelait en sanglotant son papa et sa maman dans son dortoir glacé !

Il n'y eut pas un seul œil humide dans l'assistance. Une femme juré mima le geste de vomir. Comme Livingstone-Chalk regagnait son siège, Ann et Diana parvinrent à empêcher la Reine de se précipiter sur lui pour lui serrer la pomme d'Adam jusqu'à ce que mort s'ensuive. Beverley prit la main de Charles et la serra en signe de compassion. La bouche à moitié fermée, Violet chuchota :

– Z'auriez pu trouver mieux en solde chez Marks and Sparks, Charlie…

Charles sourit poliment à la plaisanterie de Violet et se fit de nouveau épingler par le juge :

– Pour le moins, nous nous attendrions à un peu de contrition. Mais non, ce procès vous amuse, semble-t-il. Cela m'étonnerait toutefois que le jury partage votre hilarité.

Ian Livingstone-Chalk, trop occupé à effectuer le total de ses dépenses dans un Filofax sur le point d'éclater, se garda bien de relever cette tentative éhontée pour influencer les jurés.

Diana sanglotait. La princesse Ann fit un geste obscène en direction des jurés et Margaret se mit à mâcher son chewing-gum à la nicotine. Au moment où l'on redescendait Charles vers les cellules, il articula silencieusement quelque chose en direction de Diana.

– Quoi ? fit-elle de la même manière.

Mais il avait déjà disparu.

Un peu plus tard, l'ex-famille royale était réunie autour de la Reine-Mère allongée sur son lit. Philomena Toussaint essayait de lui faire avaler une cuillerée de soupe.

– Ouvrez la bouche, ma bonne dame, grommelait-elle, j'vais pas y passer la nuit…

La Reine-Mère entrouvrit les lèvres et les yeux et but le potage jusqu'à ce que Philomena, ayant gratté le fond du bol avec la cuillère, dise :

– Na, voilà, c'est bien.

La Reine exprima sa reconnaissance :

– Merci infiniment, je ne pouvais rien lui faire avaler.

Philomena essuya le menton de la Reine-Mère du revers de sa main.

– C'est-y pas un choc, que son p'tit-fils aille en prison avec les va-nu-pieds et la racaille ?

Diana commençait à trouver insupportable la chaleur dans la petite pièce. Elle sortit et ouvrit la porte d'entrée. William et Harry jouaient dehors en compagnie d'une bande de garçons au crâne rasé qui faisaient rouler un pneu

de camion sur le bout de trottoir devant la maison de Violet.
Un gamin était accroché en croix à l'intérieur du pneu.

Elle entendit William hurler :

– Bordel de merde, c'est mon tour !

Ses fils parlaient désormais couramment le dialecte local.
Il n'y avait guère que leurs cheveux longs pour les distinguer des autres gamins de Hell Close. Et, chaque jour, ils la
harcelaient pour obtenir la coupe « boule à zéro ». Soudain,
Violet Toby fit irruption sur le pas de sa porte :

– Si c'putain d'pneu touche seulement ma putain d'barrière, j'vous arrache la peau du cul !

On échappa toutefois au désastre car le gamin dégringola
du pneu en s'égratignant les genoux et les paumes. Violet
fit à Diana un signe de la main, remit brutalement le garçon
sur ses pieds et l'entraîna à l'intérieur de la maison pour
tartiner ses blessures de mercurochrome. Diana se dit
qu'elle devrait empêcher William de grimper à son tour à
l'intérieur du pneu, mais elle n'avait pas la force de discuter. Elle se contenta de crier :

– On se couche à huit heures, Will… Harry…

Elle rentra dans le pavillon de la Reine-Mère.

Tout en se remaquillant devant le petit miroir de l'entrée,
elle s'efforçait une fois de plus de déchiffrer le message
silencieux que Charles lui avait adressé. Cela ressemblait
beaucoup à : « Arrosez les châssis », mais était-ce possible
qu'il n'ait eu en tête en ce dramatique instant que son stupide jardin ?

A plusieurs reprises, Diana articula, face à la glace :
« Arrosez les châssis », et finit par s'éloigner, profondément
déçue. Quoi qu'il ait tenté de dire, ce n'était certainement
pas : « Je vous aime, Diana », ou encore : « Soyez courageuse, mon amour », ou n'importe quelle autre phrase que
l'on entend dans les films lorsque quelqu'un quitte le box
pour retourner en cellule. Elle se souvint de la jubilation
autour d'elle lorsque les jurés avaient acquitté Beverley
Threadgold et Violet Toby. Tony s'était précipité vers sa

femme et l'avait soulevée dans ses bras hors du box. Wilf
Toby avait embrassé la sienne à pleine bouche en enlaçant
sa taille épaisse. A la sortie, toutes deux avaient été ova-
tionnées par les amis et relations qui n'avaient pu pénétrer
dans la salle. Les clans Threadgold et Toby s'étaient ensuite
réunis en un groupe joyeux qui avait traversé la rue pour
des libations au pub Scales of Justice.

Alors que la famille royale était simplement remontée à
l'arrière de la camionnette de Spiggy pour rejoindre Hell
Close.

34

Lee Christmas se curait les ongles des pieds avec le bout intact d'une allumette usagée lorsqu'il entendit chanter :

> *God save our gracious King*
> *Long live our noble King*
> *God save the King*
> *Da da da da*
> *Send him victorious...*

Il se redressa sur sa couchette et scruta les deux côtés du couloir à travers les barreaux de sa cellule. Son compagnon, Oswald Gras-du-Bide, tournait les pages d'un livre, *La Cuisine d'Extrême-Orient*. Il en était à la page 156, au « Poisson poché au bouillon parfumé de tamarin ». C'était de loin plus intéressant que les revues pornographiques, pensait-il en salivant sur la recette.

On entendit un tintement de clés et la porte s'ouvrit à la volée. Gordon Fossdyke, le directeur de la prison, entra, accompagné de M. Pike, le gardien-chef qui s'occupait des entrées. Ce dernier hurla :

– Le directeur, tout le monde debout !

Lee fut instantanément sur ses pieds, mais il fallut un bon moment et une forte suée à Gras-du-Bide pour se relever de sa couchette.

Gordon Fossdyke s'était un jour taillé une semaine de célébrité en suggérant, lors de la Conférence des directeurs de prison, qu'il existait réellement des notions telles que le

Bien et le Mal. Les criminels appartenaient définitivement au Mal. Durant ces quelques jours de gloire, l'archevêque de Canterbury avait donné pas moins de dix-sept interviews téléphoniques.

Le directeur s'approcha de Gras-du-Bide et lui tapota le ventre, déclenchant une cascade de plis flasques et porcins.

— La graisse de cet homme tient du grotesque. Quelle en est la raison, monsieur Pike ?

— Chais pas, monsieur. Il était gras à l'arrivée, monsieur.

— Pourquoi êtes-vous si gros, Oswald ? demanda le directeur.

— Je suis toujours été un gros père, monsieur. Je pesais onze livres huit onces à la naissance, monsieur.

Oswald souriait avec fierté mais personne ne lui rendit son sourire.

Le cœur de Lee Christmas battait la chamade sous la tunique à rayures bleues et blanches de la prison. Avaient-ils l'intention de fouiller la cellule ? Seraient-ils capables de dénicher les poèmes dissimulés à l'intérieur de son oreiller ? Il se décapiterait lui-même si tel était le cas. M. Pike serait capable de lire à haute voix ses poésies lors du rassemblement quotidien. Lee transpirait à grosses gouttes en songeant à son dernier chef-d'œuvre, « Le minou duveteux ». On en avait tué pour moins que ça.

Le directeur reprit la parole :

— Vous aurez deux nouveaux compagnons de cellule. Vous serez un peu serrés mais il faudra vous arranger. (Il arpentait la pièce minuscule.) Comme vous le savez, il n'existe aucun favoritisme dans cette prison. L'un des prisonniers est notre ci-devant futur roi. L'autre est Carlton Moses, qui aura la charge de le protéger contre les offensives iniques de ses codétenus. J'ai rencontré notre ci-devant futur roi et j'estime que c'est un homme charmant et fort civil. Il a beaucoup à vous apprendre…

La porte se referma dans un claquement sec. Lee et Gras-du-Bide se retrouvèrent seuls.

— Bon Dieu, dit Lee. Carlton Moses, ici ! Y fait au moins

un mètre quatre-vingts… Avec toi et lui, y aura même pus moyen d'respirer, merde !

Dix minutes plus tard, on apporta deux nouvelles couchettes superposées. Gras-du-Bide pouvait à peine se mouvoir entre les deux. Lee se vanta de ses relations récentes avec Charlie Teck. Il était moins enthousiaste à propos de Carlton Moses. Selon la rumeur, Carlton aurait vendu sa grand-mère ou, plutôt, il l'aurait échangée contre une Ford cabriolet XRI. Gras-du-Bide déclara que la rumeur était probablement fausse. Selon lui, l'échange ne valait pas le coup. Qui est-ce qui voudrait d'une *grand-mère* ?

Leurs spéculations furent interrompues brusquement par l'arrivée de Charles et Carlton portant chacun leur literie pliée réglementairement.

C'était la pire journée que Charles ait jamais connue. Il n'avait jamais imaginé qu'il irait en prison et pourtant il s'y retrouvait. Depuis son arrivée, il avait été soumis à des humiliations multiples, la pire de toutes ayant été la recherche de drogue dans son intimité la plus personnelle. La porte claqua et les quatre hommes se dévisagèrent.

Charles regarda Gras-du-Bide et pensa : Mon Dieu, cet homme est *énormément* gros.

Lee regarda Carlton et pensa : C'est *sûr*, il a bien échangé sa grand-mère contre une bagnole.

Gras-du-Bide regarda Charles et pensa : Je lui demanderai de me raconter le menu de tous les banquets auxquels il est allé.

Carlton regarda la cellule et pensa : C'est sérieusement encombré ici, je me plaindrai à la Cour européenne de justice.

— Combien t'as ramassé, Charlie ? demanda Lee.

— Six mois.

Et, déjà, voilà qu'il lui était impossible de respirer dans cette pièce confinée.

— T's'ras sorti dans quatre mois…

– Si y s'tient à carreau, fit Carlton en stockant ses affaires
sur la couchette du haut.

Gras-du-Bide réalisa qu'il ignorait la manière dont on
s'adresse à un prince. Lui donnait-on du « Sir », ou du
« Votre Altesse royale » ? Demain, il emprunterait un nouveau bouquin à la bibliothèque de la prison. Sur l'étiquette.

Charles se haussa sur la pointe des pieds pour regarder à
travers les barreaux. Il n'aperçut qu'un morceau de ciel rou-
geâtre et l'extrémité des branches d'un arbre couvert de
petites feuilles vert tendre. Un sycomore, se dit-il en lui-
même. Il pensa à son jardin qui l'attendait. Les nouvelles
pousses, les semences bourgeonnantes, les plants à repiquer
avaient besoin de lui. Il craignait que Diana ne laissât le
compost se dessécher dans les plateaux de semis et les pots
suspendus. Se souviendrait-elle d'ôter les pousses latérales
de ses tomates, ainsi qu'il l'avait conjurée de le faire ? Et
de verser un litre et demi d'eau dans les châssis ? Et de jeter
les épluchures de légumes dans le silo à compost ? Il fallait
lui écrire sur-le-champ afin de lui détailler ses instructions.

– L'un de vous peut-il me céder une feuille de papier,
camarades ?

– Pour envelopper quoi ?

Lee le regardait, ahuri.

– Non, du papier à lettres, expliqua Charles. Pour écrire.

– T'veux faire une lettre ? demanda Carlton.

– C'est cela même, dit Charles, tout en se demandant s'il
ne s'était pas, inconsciemment, exprimé en français, voire
en gallois.

– Mais faut qu't'aies une *permission* de lettre, expliqua
Carlton, c'est une fois par semaine.

– Une fois, seulement ? s'exclama Charles. Mais c'est
d'une absurdité sans nom ! J'ai une quantité invraisem-
blable de courrier à rédiger. J'ai promis à ma mère…

Soudain, il réalisa qu'il avait un problème plus pressant :
aller aux toilettes. Il appuya délicatement sur le bouton
situé près de la porte. Ses compagnons de cellule le regardèrent faire en silence. Deux minutes plus tard, il enfonçait

frénétiquement le bouton dans le mur. Le besoin devenait urgent. Après une angoissante minute supplémentaire, la porte s'ouvrit sur M. Pike. Charles oublia où il se trouvait.

– Il était temps. J'ai besoin d'aller aux toilettes. Où se trouvent-elles ?

Pike lui fit son regard noir sous sa casquette à visière.

– « Il était temps », répéta-t-il, contrefaisant l'intonation de Charles. J'vais vous dire où elles sont, les gogues, Teck : ici. (Il pointait du doigt une espèce de container sur le sol.) Vous êtes en prison, vous pissez dans le pot.

Charles se retourna vers ses trois camarades.

– Seriez-vous assez aimables pour sortir un instant, le temps que…

Un rire homérique et général lui répondit. M. Pike saisit Charles par l'épaule et le conduisit jusqu'au pot. Il souleva le couvercle en plastique du bout de sa bottine bien cirée et dit :

– Pisser et déféquer : dans le trou. Pigé, Teck ?

– Mais c'est d'une barbarie inouïe, protesta Charles.

– Vous êtes bien près d'enfreindre le règlement de la prison, constata Pike.

– Que stipule donc le règlement ? s'enquit Charles avec anxiété.

– Vous le découvrirez quand vous l'enfreindrez, déclara Pike, très satisfait.

– Mais c'est tout simplement kafkaïen…

– C'est possible, rétorqua Pike, qui n'avait aucune idée de la signification de l'adjectif. Mais le règlement, c'est le règlement, et c'est pas parce que vous étiez l'héritier du trône que vous devez vous attendre à du favoritisme de ma part.

– Mais je ne…

Pike claqua la porte derrière lui et Charles, incapable de se retenir plus longtemps, se précipita sur le pot en plastique et ajouta sa propre urine à celles d'Oswald et Lee.

Oswald dit timidement :

– J'ai lu un livre de Kafka. *Le Procès*, que ça s'appelle.

Le mec, y cherche quéque chose. Y sait pas quoi. De toute manière, y s'fait avoir. C'était chiant comme la mort.

Pour détourner l'attention du bruit de cataracte qu'il produisait, Charles demanda :

– Mais vous n'avez pas trouvé l'atmosphère épouvantablement suggestive dans son absurdité ?

Gras-du-Bide répéta :

– Non, c'était chiant comme la mort.

Charles se reboutonna et appuya de nouveau sur le bouton parce que, expliqua-t-il à Lee, Carlton et Oswald, il avait oublié de mentionner la lettre à Pike. Mais ce dernier avait donné comme instructions de ne pas répondre aux coups de sonnette de la cellule 17. Petit à petit, le ciel s'obscurcit, la branche de sycomore disparut et Charles ôta son doigt de la sonnette. Il déclina l'offre de Lee qui lui proposait un livre :

– *L'Auto* n'est pas un livre, Lee, c'est un magazine.

Carlton écrivait à sa femme et s'arrêtait fréquemment pour demander à Charles l'orthographe de « lubrification », « assez », « parce que », « tétons », « récréation », « jeudi » ou « parole ».

Oswald dévora tout un paquet de biscuits à lui seul, retirant subrepticement chaque biscuit hors du paquet sans en déranger l'ordonnancement, non plus que les autres occupants de la cellule.

Lorsque le plafonnier s'éteignit, laissant seulement la rouge lueur de la veilleuse, les hommes se préparèrent à dormir. La prison n'en demeura pas silencieuse pour autant. Des cris et des bruits de métal contre métal résonnaient et une voix de ténor s'éleva, chantant *Dieu bénisse le prince de Galles*. Charles ferma les yeux, pensa à son jardin et s'endormit.

35

Dans la boutique de Sloane Street, Sayako émergea de la cabine d'essayage, vêtue d'une tenue dernier cri, la même que sur la couverture de *Vogue*. Ses vêtements de la saison précédente gisaient en tas sur le sol de la cabine. Elle s'examina soigneusement dans le miroir en pied. La directrice de la boutique, une femme élancée habillée de noir, se tenait derrière.

– Cette couleur rend très bien sur vous, affirma-t-elle en accompagnant ses propos d'un sourire professionnel.

Sayako dit :

– Je le prends. Et aussi en couleur fraise, en bleu marine et en primevère.

La directrice se réjouit intérieurement. Son chiffre pour la semaine était assuré, ce qui l'assurait de garder son job au moins jusqu'au mois prochain. Dieu bénisse les Japonais.

Sayako s'approcha du rayon « chaussures » :

– Et ces sandales en daim dans les couleurs assorties en taille 34.

Elle prenait pour modèle le mannequin en fibre de verre qui s'appuyait avec nonchalance sur le comptoir et qui arborait l'ensemble crème et les sandales que Sayako venait d'acquérir, plus un sac qu'elle était sur le point d'acheter, en bleu marine, fraise, crème et primevère. La perruque blonde du mannequin brillait sous les spots, ses yeux bleus étaient à demi fermés, comme si elle s'enivrait de sa propre beauté de race blanche.

Comme elle est belle, pensa Sayako. Elle ôta la perruque

du mannequin et la posa sur sa propre tête. Elle lui allait à la
perfection.

— Je la prends, dit-elle.

Et elle tendit une carte de crédit portant le nom de son
père, l'empereur du Japon.

Pendant que la directrice tapait les nombres magiques de
la carte, Sayako essaya un manteau de daim d'un vert très
tendre porté par un autre mannequin aux cheveux roux qui
effectuait le grand écart sur le plancher. Le manteau coûtait
mille livres, moins un penny.

— Ce modèle existe-t-il dans une autre couleur ? demanda
Sayako aux vendeuses qui empaquetaient costumes, chaussures et sacs.

— Nous le faisons dans une seule autre couleur, s'empressa la directrice.

Elle pensa : *Doux Jésus*, il faudra arroser ça en fin
de journée. Elle se précipita au fond du magasin et revint
en portant la version brun caramel du somptueux manteau.

— Parfait, fit Sayako. Je prends les deux, bien sûr, et des
bottines assorties, en taille 34.

La pile des achats grimpait sur le comptoir. Le garde du
corps, debout à la porte, commençait à s'agiter avec impatience. La limousine garée juste devant la boutique avait
déjà attiré l'attention d'une contractuelle. L'armoire à glace
et le chauffeur échangeaient des regards furieux tout en
sachant fort bien que la plaque diplomatique de la voiture
les préservait d'une contravention.

La princesse et ses achats avaient à peine disparu que la
directrice et ses vendeuses poussèrent des cris et des vivats
en s'étreignant de joie.

Assise à l'arrière de la limousine, Sayako contemplait
Londres et ses habitants. Comme les Anglais sont drôles,
pensait-elle, avec leur visage tremblant, leur long nez et
leur *peau* ! Elle rit derrière sa main. Toute blanche et rose et
rouge. Et leur corps ! Tellement grand. Il n'était pas néces-

saire de se situer à une telle hauteur, non ? Son père était
tout petit et c'était un empereur.

La voiture poursuivait son voyage vers Windsor. Elle était
descendue dans ce nouvel hôtel, Château de Windsor. Ses
yeux se fermèrent. Dieu que le shopping était fatigant. Elle
avait commencé à dix heures trente au rayon lingerie de Har-
rod's, il était dix-huit heures quinze et elle s'était arrêtée seulement une heure pour déjeuner. De retour à la maison, il lui
restait encore à lire *Trois hommes dans un bateau*. Elle avait
promis à son père d'en déchiffrer au moins cinq pages par
jour. Il lui avait affirmé que cet exercice améliorerait son
anglais et lui permettrait de comprendre le psychisme britannique.

Elle s'était déjà plongée laborieusement dans *The Wind in
the Willows*, *Alice au pays des merveilles* et *Jemina Café-
tang*, mais elle avait trouvé ces ouvrages fort ardus, pleins
d'animaux dotés de la parole et habillés comme des êtres
humains. Le plus étrange de tous était *La Maison de Pooh*,
qui racontait l'histoire d'un ours un peu demeuré et de son
copain Christopher Robin. Le professeur de Sayako lui avait
dit qu'en style familier l'anglais disposait de nombreux mots
pour la merde. Dont « Pooh ».

A Hyde Park Corner, le chauffeur stoppa brutalement la
voiture en jurant. Sayako ouvrit les yeux. Le garde du corps
se retourna vers elle :

– Une manifestation, dit-il. Rien à craindre.

En regardant par la fenêtre, elle aperçut une longue rangée
d'hommes et de femmes entre deux âges qui traversaient
devant la voiture. La plupart d'entre eux portaient un anorak beige que Sayako, une maniaque du shopping, identifia
comme provenant de chez Marks and Spencer. Quelques-
uns portaient des pancartes sur lesquelles le mot BOMB
était écrit en rouge, blanc et bleu.

Apparemment, personne ne leur prêtait la moindre attention, à l'exception de quelques conducteurs impatients.

36

Spiggy remontait Hell Close à cru sur un cheval nommé Gilbert. Lorsqu'il fut arrivé devant la maison d'Ann, il cria « Oooooh là! ». Gilbert s'arrêta pour brouter le chiendent qui poussait le long du trottoir. Le cavalier mit pied à terre et conduisit Gilbert le long de l'allée jusqu'à la porte.

– Attends seul'ment qu'elle t'voie, confia-t-il au cheval, elle va en rester comme deux ronds d'flan…

Lorsque Ann, ayant ouvert la porte, aperçut les gentils yeux bruns de Gilbert qui la fixaient, elle crut s'évanouir. Elle enlaça la tête de l'animal et l'embrassa dans le cou.

– Où l'avez-vous trouvé? demanda-t-elle avec brusquerie.

– L'ai ach'té. A un mec, au club. Y savait pas où le fout'.

– Et vous, vous savez où le foutre? demanda Ann.

– Non, admit Spiggy. J'étais raide déf', alors j'lai emm'né. Il était attaché dehors dans l'parking et y m'a fait d'la peine. Il m'a coûté seulement cinq cents balles et un rouleau d'tapis pour les escayés. Y s'appelle Gilbert et l'a des sabots neufs.

Il attendait, anxieux, qu'Ann lui confirmât qu'il avait fait une affaire.

L'œil entraîné de la princesse lui dit que Gilbert était un bon cheval.

– Que faisait-il? demanda-t-elle.

– Des randonnées dans le Derbyshire, qu'il a dit, l'mec. Mais il était comme qui dirait en vacances pass'que les randonnées, ça s'est cassé la gueule. Paraît qu'il a bon caractère.

Ann était capable d'en juger par elle-même. Gilbert la laissa caresser ses fanons de la main et inspecter l'intérieur de ses oreilles. Il découvrit même ses dents afin qu'elle examine sa bouche, avec autant de bonne volonté qu'un patient chez le dentiste. Elle lui frotta affectueusement le museau puis saisit sa bride et le conduisit le long de l'allée qui longeait le côté de la maison, jusqu'au jardin à l'arrière. Elle n'avait pas de selle mais elle se hissa sur son dos et ils firent quelques pas jusqu'à l'extrémité du terrain. Spiggy alluma une cigarette et s'assit sur le banc en fer forgé qui venait de Gatcombe Park. Il aimait bien Ann, elle appelait un chat un chat. Et, en plus, elle était assez gironde, surtout avec ses cheveux dans le dos, comme maintenant.

Il était fier de l'émoi causé par leur entrée au Club des Travailleurs, le soir de leur première sortie. Encore plus fier quand Ann avait battu tous ses copains aux fléchettes. Gilbert était la botte secrète de Spiggy pour ravir le cœur de sa belle.

Ann reconnut que le jardin était suffisamment grand pour Gilbert, à condition qu'il ait droit à un bon galop sur le terrain de jeux, une fois par jour. Elle descendit à contrecœur du cheval.

– Il ne m'est pas possible de l'entretenir, Spiggy. Je peux à peine nourrir correctement mes enfants.

– Moi, j'l'entretiendrai, dit le petit homme. Dites-moi seul'ment c'qu'il a besoin et j'y trouverai. (Il vit qu'Ann hésitait.) C'est juste pass'que j'ai pas un grand jardin comme vous mais on pourrait, comme qui dirait, l'partager. Mon papa était romano, chuis habitué aux ch'vaux. J'montais d'ssus avant d'savoir lacer mes grolles. Allez, Ann, soyez sympa. Y a d'la place pour une étab' ici.

A cet instant, Gilbert fourra son museau dans le cou d'Ann. Comment refuser ?

Dans l'après-midi, George Beresford vint prendre les mesures de Gilbert pour son étable. Il revint plus tard en compagnie de Fitzroy Toussaint. Ils portaient des planches en mélaminé rose que George avait conservées par-devers lui, suite à l'installation d'un salon de coiffure.

– Ce n'est pas exactement de la fauche, expliqua-t-il à Ann qui élevait des objections, c'est juste un avantage en nature…

Fitzroy confirma ses dires et ajouta que lui pouvait se procurer gratuitement des listings d'ordinateur pour elle et les enfants :

– Sans problème, il n'y a qu'à demander…

Ann esquissa le plan sommaire d'une étable, indiquant exactement à quelle hauteur poser la mangeoire et l'abreuvoir. Elle expliqua que Gilbert aurait besoin de se retourner, que le sol devrait comporter une évacuation tout en étant capable de résister à une quantité importante d'urine de cheval. Fitzroy donna un coup de main à George pour transporter le reste des planches en mélaminé puis il s'excusa, il était temps pour lui de retourner au bureau.

M. Christmas père observait les allers et venues pardessus la barrière. Il se trouvait en liberté provisoire. Sa dernière tentative de vol – un robinet chez Monsieur Bricolage – avait été déjouée par une caméra de télésurveillance. Il sortit une carotte de la poche de son pantalon et la tendit à Gilbert.

– Et qu'esse vous f'rez de la merde ? demanda-t-il.

Ann reconnut qu'elle n'y avait pas vraiment pensé, pourtant il était certain qu'à la longue cette question poserait problème.

– J'vous démerderai ça, si vous voulez, proposa M. Christmas, qui s'imaginait déjà en train de vendre les précieux excréments une livre le sac.

– Je n'avais pas l'intention de me laisser emmerder, cher monsieur, dit Ann.

Ils riaient encore aux éclats lorsque la Reine pénétra dans le jardin en portant une selle qu'elle tendit à sa fille. Elizabeth était incapable d'imaginer une vie sans chevaux. En dépit des recommandations de Jack Barker, elle n'avait pu s'empêcher de prendre une selle lors de son déménagement. C'était chez elle comme une seconde nature.

– Je l'ai retrouvée dans le placard ce matin. Elle a besoin d'être ajustée mais je pense qu'elle lui ira.

Elle adressa un gracieux sourire à Gilbert en lui offrant un chocolat à la menthe.

– Et vot' fiston, comment qui s'débrouille là-bas ? demanda M. Christmas.

– Je ne sais pas. Je n'ai pas encore reçu de lettre. Bien sûr, je lui ai écrit et je lui ai envoyé un livre.

– Un livre ! se gaussa M. Christmas. C'est défendu, ça.

– Et pourquoi donc ?

– Le règlement. Vous pourriez glisser des sachets de LSD entre les pages ou fourrer de la coke sous le machin dur qui tient les pages ensemble.

– L'arête, le renseigna la Reine.

– Un d'mes mômes s'est mis à la dope pendant qu'il était en taule, dit M. Christmas sur le ton de la conversation. Eh bin, quand il est sorti, l'a fallu qu'y fasse une cure d'intosquitation.

– De *dés*intoxi*cation, corrigea la Reine.

– Ouais, c'est ça ! Remarquez, ça n'a rien désintosquiqué du tout. Y dit qu'il en a rien à fout', de mourir jeune. Y dit qu'y hait la société et qu'y a pas d'place pour lui.

– Comme c'est triste, fit la Reine.

– D'jà quand il est né, c'était un pauv' p'tit mec. Il a pas souri avant qu'il eille un an. J'avais beau y fout' des raclées, y voulait pas sourire.

37

Le lendemain matin, la Reine était occupée à nettoyer la rigole au fond du jardin lorsque le facteur apporta une lettre. C'était de Charles, comme elle l'avait espéré.

Prison du Château
Vendredi 22 mai,

Chère Maman,
Comme vous pouvez le constater, je vous envoie un permis de visite. Je serais terriblement heureux s'il vous était possible de venir me voir. Ici c'est affreux. La nourriture est une horreur indescriptible. Elle est déjà infecte quand elle quitte les cuisines, mais, le temps d'atteindre les cellules, l'infection est absolue : c'est froid, et à base de surgelés, qui plus est. Lorsque vous viendrez, je vous prie de m'apporter des barres au muesli et aux fruits, quelque chose de nutritif.
Apportez-moi également quelques livres, s'il vous plaît. Je n'ai pas encore l'autorisation d'utiliser la bibliothèque de la prison. Et j'en suis réduit à emprunter les lectures de mes compagnons de cellule, Lee Christmas, Oswald Gras-du-Bide et Carlton Moses. Ils ne partagent pas vraiment mes goûts en matière de littérature. Pour tout dire, j'ai dû leur expliquer, hier soir, ce qu'est la littérature. Lee Christmas croyait qu'il s'agissait d'une chose que l'on met dans la caisse du chat. Pour l'instant, nous sommes enfermés vingt-trois heures par jour. Les gardiens ne sont pas en nombre suffisant pour surveiller des activités éducatives ou professionnelles.

Nous effectuons des exercices de gymnastique, chacun à notre tour, dans le minuscule espace séparant les châlits. Chacun, excepté Oswald Gras-du-Bide, qui passe sa journée couché à lire des livres de cuisine et à exhaler des gaz délétères. Je l'ai accusé d'être en partie responsable de la diminution de la couche d'ozone, mais il m'a seulement répondu : « Tu peux redire ça plus lentement ? »

J'ai une certitude, Maman : l'enfer, c'est les autres. Je me languis d'une promenade, d'une partie de pêche solitaires ; juste moi, la rivière et le monde sauvage.

Est-ce que Diana suit mes instructions à la lettre ? Je vous en prie, Maman, vérifiez. Ma présence ici est d'une monstrueuse injustice. Je n'ai jamais déclenché aucune bagarre. Je n'ai jamais crié « Mort aux vaches ! ». Carlton m'a appris que mon avocat, Ian Livingstone-Chalk, est célèbre pour sa paresse et son incompétence. Dans les cercles criminels, il est connu sous le sobriquet de « Chalk le Keuf », à cause de ses accointances avec la police. On se demande pourquoi il est avocat. Demandez à Diana de déposer en mon nom une plainte au barreau et, je vous en prie, rappelez-lui d'arroser le jardin. Les tomates sous châssis, près de la porte de la cuisine, exigent au minimum un litre et demi d'eau par jour et par plant, et plus, si le temps est exceptionnellement chaud.

Hier, le directeur, M. Fossdyke, m'a offert votre portrait officiel, celui du couronnement. Il est accroché au-dessus de ma tête au moment même où je vous écris. Cette faveur m'a valu un certain ressentiment de la part de mes compagnons de cellule. Ils exigent maintenant que M. Fossdyke offre à chacun d'eux un portrait à l'huile de leur mère.

Je souhaiterais que M. Fossdyke me traitât avec le même mépris dont il use avec les autres prisonniers. Pouvez-vous, je vous prie, lui écrire afin de lui demander de me regarder avec mépris la prochaine fois qu'il me verra, de me parler avec rudesse, etc. Il tiendra compte de vos avis : c'est un royaliste déclaré et ardent.

Transmettez mon meilleur souvenir à Will et Harry, et

dites-leur que Papa est en vacances à l'étranger. Toute mon affection à Granny et mes salutations à Père.

Comme vous pouvez le constater, j'ai commis une erreur au sujet du permis de visite. Je voulais écrire le nom de Diana après le vôtre mais, pour je ne sais quelle raison extraordinaire, c'est celui de Beverley Threadgold qui est venu à la place. Je me demande pourquoi. J'espère que Diana ne se formalisera pas d'attendre une semaine ou peut-être deux.

Avec toute mon affection,

Votre fils Charles

PS : les tomates ont besoin de recevoir un engrais liquide une fois par semaine.

PPS : savez-vous que Harris a engrossé une chienne nommée Kylie ? Son propriétaire, Allan Gower, se trouve ici. C'est un « plastic cow-boy » (il vole des cartes de crédit). Il me demande le remboursement des frais de vétérinaire.

La Reine s'assit pour écrire sur-le-champ au directeur :

Gordon Fossdyke Esq
Directeur
Prison du Château

9, Hell Close
Cité des Fleurs
Lundi 25 mai

Monsieur le Directeur,
Comme vous le savez, mon fils est sous votre garde. Il m'a écrit pour me faire part de vos nombreuses attentions. Je vous en suis extrêmement reconnaissante, mais j'apprécierais encore plus si, à l'occasion, vous vous montriez méprisant à son égard. Vous serait-il possible de faire en sorte de le punir durement pour de légers manquements ?

D'après ce que je comprends, une telle attitude serait de nature à lui faciliter l'existence avec ses camarades de cellule.

Autre chose : pourquoi la nourriture servie aux prisonniers leur parvient-elle froide ? Par peur qu'ils ne se brûlent la bouche ? Je suis certaine qu'il doit y avoir à cela des raisons valables (qui m'échappent toutefois), puisqu'il relève certainement de vos compétences organisationnelles que la nourriture arrive aux prisonniers à une température que vous et moi considérons comme appropriée.

Un dernier point : j'ai envoyé à mon fils un livre intitulé Le Jardinage écologique, *par Alan Thelwell. Il y a de cela une semaine. Pourquoi ne lui a-t-il pas été remis ? Un oubli, sans doute ?*

Votre dévouée,

Elizabeth Windsor

Le même jour, Charles aussi avait reçu une lettre :

8, Hellebore Close
23 mai

Charles chéri,
Désolée de ne pas avoir écrit plus tôt mais j'étais tellement occupée ! J'espère que vous allez bien !

J'ai fait teindre mes cheveux en châtain et tout le monde dit que cela me va très bien. J'ai trouvé un costume-pantalon super adorable à une braderie, Max Mara, couleur beige avec une pointe de rose. Une veste super longue et des pantalons cigarette. Et seulement 2 £ 45 ! Je l'ai porté à la soirée de l'école de William avec mon chemisier blanc (celui qui a le col brodé).

Hier soir, je suis allée à une soirée fleurs séchées chez Mandy Carter. L'idée c'est que si vous achetez des fleurs séchées, Mandy touche une commission. Votre granny était là avec sa nouvelle amie, Philomena. J'ai acheté un charmant petit panier plein de cette plante qui sent si bon ; il y

en a plein autour de Sandringham, mais ce n'est pas de la
bruyère. Oh, vous savez bien comment ça s'appelle, ça
commence avec un « L ». Je l'ai sur le bout de la langue.
Non, j'ai oublié.

Les gens n'ont pas beaucoup acheté, alors cette pauvre
Mandy n'a rien gagné du tout! La femme qui faisait la
démonstration des fleurs séchées m'a proposé d'organiser
une réunion à la maison la semaine prochaine. J'ai dit oui.
L'argent se fait rare. Victor Berryman (Hyper-Super) dit
qu'un prisonnier coûte £ 400 par semaine. Vous avez de la
chance!

Il faut que j'arrête maintenant, je viens d'apercevoir
Harris qui gambade dans les châssis ! ! !
Bisous,

Diana

PS : de la lavande !
PPS : Sonny Christmas est mort dans son sommeil la nuit
dernière. C'est triste, non ? William a eu 4 à son contrôle de
maths. J'ai dit à son professeur que personne n'était bon en
maths dans notre famille et il a répondu : « Pourtant, vous
sembliez ne pas vous débrouiller si mal dans le calcul de
votre impôt sur le revenu. » Qu'est-ce qu'il a voulu dire ?

Charles relut la lettre de sa femme. Il frissonnait à chaque
point d'exclamation. Chacun d'entre eux constituait la
marque visible de tout ce qui les séparait.

38

Le corps souffrant de la Reine-Mère reposait sur son lit dans le pavillon de Hell Close, mais son esprit planait quelque trente-six mille pieds au-dessus des nuages dans un Comet de Havilland de la BOAC. La voix rassurante du commandant John Cunningham débitait des informations sur les pays survolés au cours de ce vol direct : France, Suisse, Italie et l'extrémité de la Corse. On était en 1952. L'avion volait à l'effarante vitesse de cinq cent dix miles à l'heure. Soudain, l'image se modifia. La Reine-Mère tirait le rhinocéros avec un gros calibre avant de battre la mesure à un rythme frénétique sur des tambours bongo ; puis elle effectuait quelques pas avec le général de Gaulle en devisant sur la défaite de la France ; devant elle, le cercueil de la duchesse de Windsor descendait lentement les escaliers de St George's Chapel à Windsor ; dans une robe du soir sublime, elle était au théâtre, assise à côté de Noël Coward. La pièce s'appelait *Cavalcade* et ils soupaient ensuite chez Ivy.

Il était trois heures quinze du matin. Philomena Toussaint trempa le coin d'un mouchoir dans un verre d'eau glacée et en humecta les lèvres de la Reine-Mère. Cette dernière sentit la délicieuse fraîcheur sur sa bouche et sourit en guise de remerciement : elle n'avait pas la force de parler ni d'ouvrir les yeux. La Reine avait prié Philomena d'appeler le médecin si la condition de sa mère se détériorait de façon marquante durant la nuit, mais la vieille dame avait répondu : « J'ferai venir aucun docteur. Elle a plus de quatre-vingt-dix ans. Elle est fatiguée. Elle a le droit de s'endormir pour toujours dans les bras du Seigneur Tout-Puissant. »

Philomena brossa les cheveux de la Reine-Mère, lui mit du rouge à lèvres rose et du blush sur les pommettes. Elle noua les rubans bleus du peignoir pour former un joli nœud sous le menton. Puis, elle refit le lit et plaça les mains de la Reine-Mère sur les draps de lin. Elle attendit que son souffle devienne plus faible. La lumière dans la chambre brilla d'une manière plus vive et un oiseau se mit à chanter sur l'avant-toit du pavillon.

Lorsqu'elle jugea le moment venu, elle passa dans le séjour où la Reine dormait tout habillée sur le sofa. Elle se réveilla dès que Philomena lui toucha l'épaule. Elle se précipita vers la chambre de sa mère pendant que Philomena passait son manteau pour aller annoncer aux autres membres de la famille la triste nouvelle : la Reine-Mère se mourait. La Reine prit dans la sienne la main de sa mère et la supplia de rester en vie. Qu'allait-elle devenir sans elle ? Ann, Peter et Zara entrèrent dans la pièce :

— Donnez-lui un baiser d'adieu, dit la Reine.

Diana arriva portant Harry et tenant William par la main. Les deux petits garçons étaient en pyjama. Diana se pencha pour embrasser la douce joue de la Reine-Mère et incita ses enfants à l'imiter.

On entendit le clic-clac des talons hauts de la princesse Margaret qui pressait le pas derrière Philomena. Susan, le corgi de la Reine-Mère, grimpa sur le lit et s'allongea sur la courtepointe aux pieds de sa maîtresse. Margaret embrassa passionnément sa mère puis demanda à sa sœur :

— A-t-on appelé un médecin ?

La Reine admit que non et ajouta :

— Maman a quatre-vingt-treize ans. Et elle a eu une vie merveilleuse...

Philomena intervint :

— Un jour, j'y ai d'mandé si elle voulait des tuyaux et des trucs dans son corps et une machine pour qu'elle respire à sa place et elle a dit : « Que Dieu m'en préserve. »

Margaret fit un éclat :

— Mais nous ne pouvons rester assis à la regarder *mourir*, pas dans cette épouvantable petite pièce, cet épouvantable pavillon, cette épouvantable rue de cette épouvantable cité !

William déclara :

— Elle aime être ici, et moi aussi.

La rumeur s'était répandue dans Hell Close et les voisins commençaient à se rassembler à la porte d'entrée. Ils évoquaient à voix basse leurs souvenirs de la Reine-Mère. On fit descendre Darren Christmas de sa mob pétaradante et il la poussa jusqu'à ce qu'il soit hors de portée des oreilles du quartier. Marque de respect supplémentaire, personne ne fut autorisé à faucher dans la voiture du laitier, ce matin-là.

Le révérend Smallbone, prêtre de la République, se présenta au pavillon sur le coup de huit heures. Il avait appris la nouvelle chez le marchand de journaux où il achetait le seul numéro de l'*Independant* disponible à un mile à la ronde. Il se tint au chevet de la Reine-Mère et marmonna de manière inaudible une prière où il était question de paradis, d'enfer, de péché et d'amour.

L'ancienne souveraine ouvrit les yeux et dit :

— Je ne voulais pas l'épouser, vous savez. Il a dû me le demander trois fois. J'étais amoureuse d'un autre !

Et elle referma ses paupières.

Margaret déclara :

— Elle ne sait plus ce qu'elle dit, elle adorait Papa.

Pour la dernière fois, la Reine-Mère était Elizabeth Bowes-Lyon, dix-sept ans, une ravissante beauté valsant dans la salle de bal de Glamis Castle, au bras de son premier amour, dont elle avait du mal à se rappeler le nom. Il lui devenait difficile de penser. Tout semblait s'assombrir. Elle entendait des voix dans le lointain, de plus en plus faibles. Soudain ce fut le noir mais, très loin, elle perçut une lumière brillante comme une tête d'épingle. Elle avançait vers la lumière et la lumière la saisit, l'entoura jusqu'à ce qu'elle ne soit plus qu'un souvenir.

39

C'était au tour de Charles de choisir la station de radio. En conséquence, tout le monde écoutait Radio 4. Brian Redhead s'entretenait avec l'ex-gouverneur de la Banque d'Angleterre (il avait donné sa démission la veille). On n'avait encore trouvé personne pour prendre sa place. Redhead l'interrogeait sur le ton de l'incrédulité :

— Si je vous suis bien, monsieur, vous êtes en train de me dire que vous, le gouverneur de la Banque d'Angleterre, même *vous* dans *votre* position, vous ne connaissez pas les conditions de ce prêt japonais ? C'est un peu difficile à croire, non ?

— C'est pourtant le cas, répondit l'ex-gouverneur sur un ton amer. Et pour quelle raison aurais-je démissionné, selon vous ?

— Comment sera remboursé l'emprunt ? poursuivit Redhead.

— Il ne le sera pas, fit l'ex-gouverneur, les caisses sont vides. Afin de réaliser ses folles aspirations, Jack Barker a réussi à dévaliser la Banque d'Angleterre...

La porte de la cellule s'ouvrit sur M. Pike, un paquet de lettres à la main :

— Oswald Gras-du-Bide, t'as une lettre de ta mère. Moss, t'en as une de ta femme et une autre de ta poule. Lee, t'as rien, comme d'habitude. (Il se tourna vers Charles.) Une lettre de demeuré, si j'en crois l'écriture...

Charles ouvrit l'enveloppe, dans laquelle se trouvaient deux missives.

Cher Papa

Je vai bien et ce que vous allé bien

Je sé que vous aite pas en vacance Darrun Christmas ma dit que vous aite en tole.

Harris a tou saçagé vos plante dans le jardin

Bises

Harry 7 ans

Cher papa

Maman a dit un mensonge que vous étes en vacances en Ecosse.

On nous à faucher la vidéo et pareil pour les chandeliés qui étaient à ce roi George qui araignée il y a des années. M. Christmas connait le mec qu'a fait le cou. Il dit qu'il va foutre une trempe à ce mec jusqua ce qu'il rende les chandeliés.

Notre école elle va avoir un nouveau toi. Jack Barker a écrit une lettre à la mère Striklan qui nous l'a dit hier à la récré.

Taty Ann a un nouveau cheval. Il s'apèle Gilbert. Il abite dans le fond du jardin dans un cabanon. Il est rose. Le cabanon, pas le cheval.

Pouvez nous envoyer du fric de prison. On en a pas.

Bises

William

PS : s'il vous plait, répondez.

Charles lut les deux lettres avec un sentiment d'horreur. Ce n'était pas seulement l'usage effarant de la langue anglaise, les fautes d'orthographe, le mépris des règles de ponctuation, la calligraphie échevelée, non, c'était plutôt le contenu même de ces lettres. Dès qu'il sortirait de prison, il *tuerait* Harris. Et pourquoi Diana n'avait-elle pas mentionné le cambriolage ?

Comme il refermait l'enveloppe, le battant de la porte s'ouvrit avec violence et M. Pike cria :

– Teck, votre grand-mère est morte. Le gouverneur envoie ses condoléances et vous avez une permission d'enterrement.

La porte se referma. Charles luttait avec ses sentiments. Ses compagnons, Lee, Carlson et Oswald Gras-du-Bide, le regardaient et demeuraient silencieux. Après quelques minutes, Lee prit la parole :

– Si j'avais une permission, j'en profiterais pour mettre les bouts...

A travers la fenêtre de la cellule, Charles contempla les plus hautes branches du sycomore et se prit à rêver à la liberté.

Plus tard dans la matinée, Gras-du-Bide revint de son atelier d'expression écrite et tendit à Charles une feuille de papier :

– C'est pour toi, pour te remonter le pendule.

Le prince se souleva de sa couchette, prit le papier des mains boudinées et lut :

Dehors

Dehors, il y a plein de gâteaux et de noix.
Si tu veux, tu peux t'acheter du chocolat
Ou des chaussures de sport
Pour aller sur le port.

Il comprit qu'il était en train de lire un poème.

Dehors, il y a des petites fleurs et des petits pinsons...
Ah, si seul'ment on pouvait sortir de la prison !
Il y a aussi des jeunes filles au joli visage
Que nous pourrions alors emmener en voyage.
Dehors, c'est là que nous voulons aller,
Moi et mes trois copains ensemble enfermés.

– Vraiment, c'est très très bon, Oswald, dit Charles.

Il se sentait tout à fait en harmonie avec les sentiments

exprimés, même si la banalité de la construction lui faisait dresser les cheveux sur la tête.

Gras-du-Bide se hissa sur la couchette supérieure.

– Lis à haute voix, Charlie, le pria Lee qui, jusqu'alors, ne s'était pas douté qu'il partageait sa cellule avec un poète.

Lorsque Charles eut fini de déclamer le poème à ses compagnons, Carlson dit :

– Putain que c'est beau, mon pote.

Lee restait silencieux. Il brûlait de la jalousie du créateur. A son avis, « Le minou duveteux » lui était supérieur ; et de loin !

Allongé sur sa couchette, Charles se répétait silencieusement les derniers vers.

> *Dehors, c'est là que nous voulons aller,*
> *Moi et mes trois copains ensemble enfermés.*

Philomena et Violet savaient comment s'y prendre pour effectuer la toilette d'un mort. Elles l'avaient appris dans le passé, quand les temps étaient durs. Elles ne s'attendaient pas à ce que leurs services soient réclamés cette année mais voilà qu'elles devaient s'exécuter de nouveau. A Hell Close, peu d'habitants recouraient aux services des pompes funèbres. A moins d'être totalement insolvable ou que la mort ne soit due à un accident du travail (dans ce cas, l'employeur se sentait obligé d'apaiser la famille). Les assurances étaient considérées comme un luxe inouï, aussi exotique que des vacances à l'étranger ou du roast-beef tous les dimanches.

Sachant à quel point il est important d'être occupée dans ces moments-là, les femmes avaient envoyé la Reine vaquer à différentes tâches. Elle avait obéi avec soulagement. Sans la présence légère de sa mère, le pavillon lui semblait sinistre.

Lorsque les deux femmes eurent terminé leur travail, elles s'assirent à l'extrémité du lit et contemplèrent la Reine-Mère. Un petit sourire courait sur ses lèvres, comme si elle rêvait à des choses plaisantes. On l'avait revêtue de sa chemise de nuit préférée, et ses bijoux de saphir, d'un bleu assorti, brillaient à ses oreilles et autour de son cou.

– Elle a l'air bien, non ? fit Philomena avec fierté.

Violet s'essuya les yeux et répondit :

– J'ai jamais vu l'intérêt d'avoir des rois et des reines, mais c'était une brave femme, gâtée mais gentille.

Elles vérifièrent que tout était en ordre avant de quitter la chambre puis elles s'attaquèrent au reste du pavillon. Elles s'attendaient à recevoir de nombreuses visites les jours suivants et elles avaient expédié Wilf acheter sachets de thé, sucre et lait. Diana les rejoignit dans la cuisine. Elle portait une gerbe de toutes petites fleurs violettes à très longue tige. Derrière ses Ray-Ban, ses yeux étaient pleins de larmes.

— Je… les ai cueillies dans le jardin, balbutia-t-elle. C'est pour… euh… l'exposition du corps, c'est bien ça ?

Une odeur âcre envahit la cuisine.

— Mais c'est de la ciboulette ! s'exclama Violet en reniflant le bouquet. C'est des herbes pour la salade !

— Oh vraiment ? dit Diana, embarrassée et rougissante. Charles sera furieux contre moi…

— C'est pas grave, la consola Violet, l'problème, c'est que ça pue.

— Il faudrait des lys, dit Philomena, mais ça coûte une livre vingt-cinq pence, un *seul*.

— Qu'est-ce qui coûte une livre vingt-cinq pence ? demanda Fitzroy Toussaint en pénétrant dans la cuisine.

— Les lys qui sentent si bon, répondit sa mère, ceux qu'aimait la Reine-Mère.

Fitzroy n'avait jamais rencontré Diana. Il examina sa silhouette, ses jambes, ses cheveux, ses dents et son teint d'un œil connaisseur. Il remarqua que le costume noir était de Caroline Charles et que les escarpins de daim à bout pointu sortaient de chez Emma Hope. Que ne donnerait-il pas pour sortir cette femme ravissante au Starlight Club, lui offrir quelques Margaritas et un tour sur la piste de danse. Diana glissa un regard à Fitzroy, entre ses tiges de ciboulette. Quel grand et bel homme. Ah, ces pommettes saillantes. De toute évidence, il s'habillait chez Paul Swaith et se chaussait chez Gieves and Hawks. Il sentait tellement bon. Sa voix était douce comme le miel. Il avait les ongles propres et des dents parfaites. De plus, elle avait entendu dire qu'il était gentil avec sa maman.

Il s'adressa à elle :

– Je vais acheter des lys. Ça vous plairait de faire un tour ?

– Oui, répondit Diana.

Laissant les vieilles dames dans la cuisine, ils sortirent.

Diana s'apprêtait à faire le tour de la voiture pour s'installer côté passager quand Fitzroy lui cria :

– Attrapez !

Elle saisit les clés au vol, ouvrit la portière et se glissa
derrière le volant.

Arrivés à la barrière, ils subirent l'examen de l'inspecteur
en chef Holyland :

– C'est votre jour de visite à la prison, madame Teck ?

Diana baissa les yeux et secoua la tête. Chaque matin,
depuis que Charles était en prison, elle avait espéré une permission de visite mais, jusqu'alors, ne l'avait toujours pas
reçue.

La barrière s'ouvrit et Diana, quittant Hell Close, se diri-
gea vers un monde plus familier : belles voitures, beaux
garçons, fleurs luxueuses. Comme elle empruntait l'avenue
des Soucis, elle passa devant l'école de Harry. Il était justement dans la cour de récréation au milieu d'une partie de
dépouille et baston, désormais son jeu favori. En longeant
le terrain de jeux, elle aperçut Harris cavalant à la tête
d'une bande de chiens errants.

Fitzroy glissa une cassette dans la stéréo. La voix de
Pavarotti s'éleva dans la voiture, *Nessun Dorma*.

– J'espère que cela ne vous dérange pas, dit-il.

– Oh non, j'ââââdore Pava, il est super. Je l'ai vu en vrai à
Hyde Park. Charles préfère Wagner.

– Wagner, ça craint, reconnut Fitzroy, plein de compréhension.

Il se pencha, appuya sur le bouton qui manœuvrait le toit
ouvrant. La voix de Pavarotti attira l'attention de la Reine,
qui recevait les condoléances de Victor Berryman devant la
porte de Hyper-Super. Elle leva la tête et aperçut Diana qui
filait au volant de la voiture de Fitzroy Toussaint tandis que
ce dernier agitait les bras au rythme de la musique.

Non mais je rêve, se dit-elle, en ramassant ses cabas. Et elle se mit en route pour rejoindre Hell Close.

Alors qu'ils fonçaient sur l'autoroute, Diane et Fitzroy joignirent leur faible voix au doux mugissement de Pavarotti, dans le final de *Nessum Dorma*.

En face d'eux se traînait péniblement une charrette tirée par un cheval, bloquant une file d'automobilistes furieux qui tentaient en vain de les doubler.

— On dirait un couple de Bohémiens, dit Fitzroy d'un ton désapprobateur. Et c'est *quoi* ce machin, sur la *tête* du cheval ?

Diana jeta un coup d'œil dans le rétroviseur :

— C'est le chapeau qu'Ann portait l'an dernier à Ascot... Tiens, il fait mieux sur le cheval que sur elle, ajouta-t-elle sèchement.

Fitzroy éclata de rire. Diane en fut heureuse. Cela faisait longtemps qu'elle n'avait pas réussi à faire rire Charles.

En passant devant la prison, elle dit :

— Pauvre Charles.

— Ouais, scanda Fitzroy. Je me doute que vous devez vous sentir bien seule sans lui.

Leurs regards se croisèrent l'espace d'une seconde. Suffisamment pour que tous deux réalisent que Diana ne se sentirait plus trop seule, trop longtemps. Quelques compensations lui seraient offertes. Elle s'épanouit d'aise.

Pendant ce temps, dans le jardin de Charles, le soleil tapait dur. L'eau s'évaporait des châssis, des pots suspendus et des bacs à semis, laissant le compost aussi sec que le désert du Nevada.

41

L'après-midi suivant, Violet Toby pénétra dans la cuisine de la Reine après avoir frappé à la porte. Elle apportait le *Middleton Mercury* du jour. Harris sortit la tête de sous la table de la cuisine et grogna dans sa direction, mais elle lui donna un coup de chaussure à haut talon et il fit marche arrière. Violet trouva la Reine dans le séjour, occupée à repasser une blouse en soie. Elle se débattait avec le col.

– Cette maudite chose ne cesse de faire des faux plis !

Violet lui prit le fer des mains et vérifia la manette de sélection :

– L'avez mis sur « lin », dit-elle, c'est ça l'lézard.

La Reine débrancha son fer et invita Violet à s'asseoir. En lui tendant le journal ouvert, celle-ci demanda :

– J'me d'mandais si vous aviez vu ça. Ça cause de vot'manman.

En page 7, à la suite d'un article relatant qu'un tee-shirt blanc avait été volé sur un fil à linge dimanche aux premières heures du jour, on lisait une autre nouvelle :

MORT DE L'EX-REINE-MÈRE

L'ex-Reine-Mère, qui, en 1967 inaugura le service des urgences du Royal Hospital de Middleton, est morte à Hellebore Close, Cité des Fleurs. Elle était âgée de 93 ans.

La Reine rendit le journal à Violet, qui demanda :

— Vous voulez pas le découper ?

— Non, dit la Reine, cela ne vaut vraiment pas la peine de le conserver, n'est-ce pas ?

Soudain, son regard fut attiré par un titre criard en première page :

L'EMPRUNT, LA CRISE :
LE JAPON LANCE UN ULTIMATUM

Elle reprit le journal des mains de Violet et lut que Jack Barker s'était enfermé la veille pendant huit heures avec les responsables du Trésor et le ministre des Finances japonais. A l'issu de ce meeting, aucun communiqué n'avait été donné aux représentants des médias. Marcus Moore, le correspondant financier du *Middleton Mercury*, écrivait que, selon lui, la Grande-Bretagne affrontait la crise la plus grave depuis les jours sombres de la guerre. Il notait avec indignation :

Aucun détail concernant la contrepartie pour ce prêt de plusieurs milliards de yens n'a été rendu public. Les promesses de M. Barker pour un gouvernement plus ouvert apparaissent maintenant comme une imposture. Pourquoi, oui pourquoi, sommes-nous laissés dans l'ignorance ? Qu'avons-nous promis en échange au Japon ? Nous voulons savoir !

— C'est intéressant, cette histoire de prêt japonais, dit la Reine en tendant pour la seconde fois le journal à Violet.

— Ah bon ? dit Violet. Moi, j'en ai rien à foutre de la politique. Ça change rien à ma vie, non ?

— Tiens, je pensais que vous étiez pour Jack Barker ?

— Ouais. N'empêche, il va bientôt se retrouver le cul à l'air.

Compte tenu de l'aggravation de la crise financière, Violet pourrait bien avoir raison, se dit la Reine. Elle replia la planche à repasser avant de la ranger dans le placard sous les escaliers, tout en se demandant ce que serait le retour à Buckingham Palace. Quel plaisir si des mains inconnues repassaient à sa place… Mais quant à recommencer les corvées officielles… Elle frissonna. Pourvu que Jack se sorte de ses difficultés.

42

Le lendemain, la Reine regardait George Beresford enfoncer le dernier clou dans le cercueil.

– Et voilà ! dit-il. Un travail de roi pour une reine, hein ?

– C'est de la belle ouvrage, reconnut la Reine. Combien vous dois-je ?

George se montra offensé :

– Rien du tout. Juste eu quelques découpes à faire, et j'avais déjà les clous.

Il lissa le cercueil de sa main puis il le dressa ouvert contre la barrière du jardin et pénétra à l'intérieur pour essayer la taille.

– C'est p't-êt' pas à moi d'le dire, mais ça va au p'tit poil.

– Je dois vous payer le temps passé, insista la Reine en espérant que le temps de George ne serait pas trop cher, l'allocation d'enterrement des services sociaux étant tout sauf généreuse.

George répondit :

– J'suis maître de mon temps, maintenant. Si j'pouvais pas arranger un voisin, ça s'rait quand même malheureux !

La Reine caressa le couvercle du cercueil.

– Vous êtes un vrai artiste, George.

– J'ai appris mon métier chez un ébéniste, Barlow's, j'y ai travaillé pendant quinze ans.

Ce nom ne disait rien à la Reine, mais elle comprit à l'intonation orgueilleuse de George que Barlow's était une firme renommée.

– Pourquoi avez-vous quitté Barlow's ? demanda-t-elle.

– L'a fallu que j'm'occupe d'ma femme, dit-il, le visage soudain assombri.

– Elle était malade ?

– Elle a eu une attaque. Elle avait que trente-trois ans, une bavarde… Bon, une minute avant, elle me disait au revoir, et la fois que je l'ai revue, c'était à l'hôpital. Pouvait plus marcher, plus parler, plus sourire. Plus que ses yeux pour pleurer, comme on dit… Y avait personne pour s'occuper d'elle, ajouta tristement George, pour la laver, la faire manger et tout ça. Et pis y avait les p'tits bouts : Tony et John. Du coup, j'ai laissé tomber mon boulot. Après qu'elle est morte, Barlow's avait fait faillite et tout ce que j'ai trouvé c'est installateur de magasin. J'aurais pu l'faire les yeux fermés. M'enfin, c'était un boulot. Chuis pas heureux quand j'travaille pas. C'est pas rien que pour le fric. (Il se retourna pour regarder la Reine, désireux de bien faire passer son idée.) C'est juste comme qui dirait une sensation que… y a quelqu'un qui a besoin de vous… C'est vrai, vous êtes *quoi*, quand vous travaillez pas ? J'avais de bons copains au magasin. Ça fait trois ans que je suis à mon compte et, quand je vois un bon programme à la télé, je pense : Tiens, j'raconterai ça aux copains demain matin. (George rit.) C'est malheureux, non ?

– Vous voyez toujours vos copains ? demanda la Reine.

– Non, ça marche pas comme ça, répondit George, j'peux pas continuer à les voir. Ils penseraient que j'me la coule douce.

Il rangeait ses outils dans des encoches à l'intérieur d'une trousse de toile épaisse. La Reine remarqua que le nom de Barlow's y était imprimé à l'encre noire. Elle prit un balai et commença à rassembler en tas les copeaux de bois.

George lui prit l'instrument des mains :

– C'est pas à vous d'faire ça.

La Reine s'empara derechef du balai.

– Je suis parfaitement capable de balayer quelques copeaux…

– Non, dit George en reprenant le contrôle du balai, vous avez pas été élevée pour faire le sale boulot.

– Eh bien, peut-être que j'aurais dû l'être…

Et elle récupéra l'instrument, définitivement cette fois.

Il y eut un silence. Chacun se concentrait sur sa tâche. George polissait le cercueil tandis que la Reine ramassait les copeaux dans un sac en plastique noir. Tout à coup, George dit :

– Je suis désolé pour votre maman.

– Merci, dit la Reine.

Et, pour la première fois depuis la mort de sa mère, elle éclata en sanglots.

George posa son chiffon et prit la Reine dans ses bras.

– Allons, allons, laissez-vous aller, pleurez un bon coup.

La Reine pleura un bon coup. George la fit entrer dans sa maison bien tenue, la conduisit jusqu'au canapé, lui ordonna de s'allonger, lui donna un rouleau de papier hygiénique pour essuyer ses larmes et la laissa seule avec sa peine.

Elle préférait sûrement qu'il ne la regardât pas s'abandonner à son chagrin. Au bout de quinze minutes, les pleurs s'étant espacés, il apporta le thé sur un plateau. La Reine se redressa et prit la tasse et la soucoupe qui lui étaient offertes.

– Je suis tellement désolée, dit-elle.

– Pas moi, dit George.

Tout en buvant, la Reine essayait de se remémorer le nombre exact de tasses qu'elle avait ingurgitées depuis son arrivée à Hell Close. Des centaines, certainement.

– C'est un tel réconfort, une tasse de thé, fit-elle à voix haute.

– C'est chaud et pas cher, rétorqua George, une petite gâterie quand tout va de travers. Et ça coupe la journée, pas vrai ?

La Reine vida sa tasse et la tendit pour qu'elle soit remplie de nouveau. Elle avait envie de se reposer un peu avant d'attaquer le reste des préparatifs pour la cérémonie funèbre.

Ann et Spiggy entrèrent après avoir frappé à la porte de derrière.

– Vot' maman a pleuré un bon coup, annonça George à Ann.

– C'est bien, répondit celle-ci.

S'asseyant sur le rebord du canapé, elle tapota l'épaule de sa mère. Spiggy se mit derrière la Reine et lui pressa le bras droit, dans un geste de condoléances maladroit.

Ann dit :

– Spiggy et moi avons trouvé le moyen pour emporter le cercueil de Granny à l'église.

– Vous avez trouvé quelqu'un avec une voiture municipale ? demanda la Reine, qui était déjà arrivée à la conclusion qu'un corbillard à deux chevaux était une solution financièrement impossible.

– Non, Gilbert est capable de tirer le cercueil.

– Sur quoi ?

– Sur la charrette du papa de Spiggy.

– Y a juste besoin d'un coup d'pinceau, intervint Spiggy.

– Y m'reste des boîtes de peinture au fond du jardin, ajouta George.

La Reine protesta :

– Mais voyons, Ann chérie, Maman ne *peut pas* être conduite au cimetière dans une charrette de Bohémiens…

Ann, qui, dans une vie précédente, s'était intéressée à la cause des Gitans, se hérissa sous l'affront. En revanche, Spiggy, qui avait du sang gitan dans les veines, ne se vexa pas le moins du monde. Il dit :

– Faut voir les choses du point de vue de vot' manman, Ann. D'un aut' côté, c'est pas des funérailles nationales, non plus…

George se tourna vers la Reine.

– Vot' manman, elle s'rait pas contre. Chaque fois que j'l'ai vue s'trimbaler dans une calèche, elle avait l'air toute contente.

La Reine était trop triste et fatiguée pour soulever d'autres objections. Par conséquent, les préparatifs pour des funérailles nationales dans le style Hell Close se poursuivirent tout l'après-midi. On décida que le noir et le mauve constituaient un ensemble de coloris satisfaisant pour la charrette. George, Spiggy et Ann firent disparaître les anciennes couleurs criardes et préparèrent le véhicule pour la sombre promenade à venir.

43

Ce soir-là avait lieu le dîner annuel de l'Association britannique des activités de plein air à la Société géographique nationale (ex-royale). La grande Salle des banquets était pleine d'hommes et de femmes au visage buriné et au solide appétit. Les kayakistes discutaient avec les promeneurs de longue randonnée, les guides échangeaient des anecdotes avec les propriétaires d'articles de sport. La plupart des commensaux avaient l'air mal à l'aise dans leur tenue habillée. Comme s'ils avaient hâte de retourner enfiler leurs bons vieux vêtements râpés.

Jack Barker était l'invité d'honneur. Assis à la table principale, il était flanqué, à sa droite, d'un officiel de l'Union britannique des canoës et, à sa gauche, du président de l'Association des explorateurs de grottes. Jack s'emmerdait à mourir. Il détestait les activités de plein air mais, en cet instant précis, il aurait préféré escalader le Ben Nevis[1], à poil et à reculons, plutôt que de subir une énième histoire d'exploration de caverne inondée par les eaux. Il repoussa son assiette, le potage avait un goût de poisson.

– C'est quoi, cette soupe ? demanda-t-il au laquais debout derrière lui.

– Du poisson, monsieur le Premier ministre…

Le représentant officiel de l'Union britannique des canoës se pencha vers lui avec sollicitude.

1. Montagne dominante de Grande-Bretagne (1 340 mètres), située en Ecosse.

– Vous vous sentez bien, monsieur ?

– Je n'en suis pas sûr, répondit Jack.

De sa modeste place, Eric Tremaine, qui assistait au dîner en sa qualité de membre du Club britannique des campeurs et caravaniers, regarda, triomphant, le laquais conduire Jack Barker vers la sortie.

– Quel manque de dignité, fit-il remarquer à son voisin, un adepte du saut libre en parachute, au moment où Jack Barker se mit à vomir incoerciblement dans un saladier.

Lorsque les composants du potage contenu dans l'assiette de Jack Barker eurent été analysés par les laboratoires de St Thomas Hospital, on y trouva une plante vénéneuse commune, plus une petite quantité de crottes de limace pilées.

Comme personne d'autre n'avait subi le sort de Jack le soir du dîner, les médecins et les experts en toxicologie de la police conclurent à une tentative d'empoisonnement sur le Premier ministre.

Le lendemain matin, assis dans sa caravane dans un camping près d'East-Croydon, Eric lisait et relisait les titres en première page : « Le Premier ministre survit à l'ingestion de crottes de limace. » De dégoût, il jeta son journal loin de lui.

44

La Reine se réveilla de bonne heure le jour des funérailles. Elle demeura quelque temps allongée en pensant à sa mère, puis elle sortit du lit et regarda par la fenêtre. La voiture de Toussaint Fitzroy était garée devant la maison de Diana.

Parmi un tas de collants emmêlés, elle en sélectionna un, de couleur chair, qui ne semblait pas trop filé. Elle passa une robe bleu marine et fouilla dans le fond de son armoire avant de mettre la main sur des escarpins assortis. Elle inspecta les boîtes dans le placard et dénicha un chapeau convenable : bleu marine avec un ruban blanc. Elle l'essaya devant le miroir de la salle de bains. C'est fou ce que je ressemble à mon ancien moi, pensa-t-elle. Depuis son arrivée à Hell Close, elle n'avait pas quitté jupes confortables et sweaters. Aujourd'hui, elle se sentait trop habillée dans ses vêtements de deuil.

Elle descendit nourrir Harris, qui attendait à la porte de la cuisine, et se prépara une tasse de thé très fort qu'elle sortit boire dans le jardin. Elle remarqua des vêtements d'enfants qui séchaient sur le fil de Beverley Threadgold, oscillant sous la brise légère. La machine à laver faisait entendre le bruit caractéristique de l'essorage. Dans le jardin d'Ann, Gilbert mâchonnait un ballot de foin. Tout autour d'elle, ce n'étaient que bruits d'eau, portes claquées, voix s'interpellant d'un pavillon à l'autre : les habitants de Hell Close sortaient du lit et se préparaient pour l'événement matinal.

La Reine rentra dans la maison, brossa ses cheveux, se maquilla légèrement, ramassa gants, sac et chapeau et se trouva prête à sortir. Elle traversa la rue jusqu'au pavillon de sa mère. Les rideaux étaient tirés selon la coutume, à Hell Close, pour annoncer un deuil. Philomena était dans la cuisine en train de beurrer des tranches de pain de mie. La garniture des sandwichs – fromage râpé, tranches de mortadelle et un bloc de pâté beige – reposait sur un morceau de papier paraffiné, attendant d'être étalée sur le pain pour le casse-croûte, après la cérémonie. Violet Toby entra, portant un plateau couvert de petits gâteaux ornés d'un glaçage de différentes couleurs.

– Comme c'est gentil, dit la Reine.

Beverley Threadgold suivait avec un gros cake aux fruits confits, juste un peu brûlé sur les côtés. Bientôt, la petite table en formica, au centre de la cuisine, fut couverte de nourriture.

La princesse Margaret fit son apparition, drapée de crêpe noir :

– Des gens déposent d'horribles gerbes de fleurs bon marché sur la pelouse de Maman.

La Reine sortit juste comme Mme Christmas apportait une couronne de bleuets sur l'herbe. Sur une carte on lisait : *Avec toute la simpatie de Monsieur et Madame Christmas et leurs enfants.*

D'autres résidents de Hell Close allaient et venaient, déchiffrant les mots sur les témoignages floraux. Une couronne de forme traditionnelle, ornée de fleurs bleues, blanches et rouges, avait été déposée par Holyland. Sur le carton était écrit : *Dieu vous bénisse, Ma'am, de la part de l'inspecteur en chef Holyland et des gars de la barrière.*

Mais la plus grande et la plus belle composition florale fut apportée par Fitzroy Toussaint. Deux dizaines de lys parfumés enveloppés d'un nuage de gypsophile. La voiture de livraison du fleuriste livra encore nombre de gerbes et de couronnes qui furent disposées sur la pelouse par d'attentifs volontaires. Tony Threadgold avait cueilli tout le lilas sur l'arbre maigrelet de son jardin.

A huit heures trente précises, Gilbert s'approcha d'un pas enlevé du pavillon où reposait la Reine-Mère, traînant la charrette qui avait été transformée en œuvre d'art. Peinte en noir et mauve, les jantes des roues soulignées d'or, les initiales *QM* imprimées en bleu pervenche, la couleur favorite de la défunte, la voiture étincelait.

Les brides de Gilbert avaient été nettoyées et polies et son manteau brillait. On l'avait ferré de neuf pour l'occasion et il faisait fièrement claquer ses sabots, soulevant chaque patte comme s'il avait toujours tenu un rôle central dans les cérémonies royales. Un silence s'abattit sur la foule des résidents lorsque Spiggy et Ann descendirent de la charrette et entrèrent dans le pavillon. Gilbert baissa la tête et se mit à brouter la couronne de l'inspecteur en chef Holyland jusqu'à ce que Wilf Toby saisisse les rênes et lui relève la tête.

Une voiture de police conduite par un agent et transportant Charles et M. Pike, le gardien-chef de la prison, fit son apparition. Charles portait un costume noir, une cravate noire et une chemise rose. Sa queue de cheval était attachée avec son habituel chichi rouge. Une menotte lui encerclait la main droite. M. Pike avait revêtu son uniforme et portait, lui, une menotte à la main gauche.

Je me demande bien pourquoi Diana est incapable de suivre la plus simple instruction, pensait Charles, j'avais bien précisé dans ma lettre : une chemise *blanche*. La voiture s'arrêta. Charles et M. Pike, attachés l'un à l'autre, entrèrent dans le pavillon. La Reine était déçue, elle espérait que Charles aurait eu droit à la coupe de cheveux réglementaire d'un prisonnier. Et pourquoi, Seigneur, arborait-il maintenant une chemise rose, était-ce un symbole de ses opinions de plus en plus anarchistes ?

Les porteurs du cercueil se rassemblèrent dans la chambre à coucher de la Reine-Mère. Tony Threadgold, Spiggy, George Beresford, M. Christmas, Wilf Toby et le prince Charles, momentanément délivré de M. Pike. Spiggy se sentait nerveux. Il avait vingt bons centimètres de moins que les autres hommes ; parviendrait-il à atteindre le cercueil ou resterait-il les bras en l'air, comme un imbécile ? George vérifia les vis sur le couvercle et les hommes hissèrent le cercueil sur leurs épaules. Spiggy dut se hausser sur la pointe des pieds mais, à son grand soulagement, le bout de ses doigts était en contact avec le bois. On manœuvra avec soin le cercueil à travers les petites pièces et on le sortit de la maison.

En silence, la foule regarda les hommes installer le cercueil à l'arrière de la charrette et l'amarrer solidement jusqu'à ce qu'il soit fixé par son propre poids. La Reine demanda que l'on déposât un petit bouquet de pois de senteur au centre du cercueil, puis on chargea les gerbes et les couronnes. La voiture finit par ressembler à l'un de ces stands de fleurs que l'on voit dans les marchés.

Ann bondit sur le siège et rassembla les rênes. Gilbert se mit en route à une allure convenant à des funérailles. Philomena était restée à l'intérieur du pavillon. Lorsqu'elle entendit le pas des gens qui s'éloignaient accompagné par le clip-clop des sabots de Gilbert, elle tira largement les rideaux pour faire entrer le soleil. Puis elle ouvrit en grand la porte pour laisser sortir l'âme de la Reine-Mère.

Le cortège funéraire franchit la barrière. L'inspecteur en chef Holyland se dressa au garde-à-vous en évitant le regard de Charles. Un car de police suivait à bonne distance, prêt à refouler les représentants des médias qui auraient bravé l'interdiction de rendre compte de l'événement. Il n'y avait qu'un demi-mile à parcourir jusqu'à l'église et le cimetière adjacent, mais Diana aurait donné cher pour ne pas avoir chaussé ses plus hauts talons : après tout, elle était de nouveau en représentation. Même si les gens qui regardaient en silence passer la procession constituaient son seul public.

Victor Berryman sortit de Hyper-Super en compagnie de ses caissières et d'un jeune commis préposé aux rayons portant une casquette de base-ball. Au passage du convoi, M. Berryman fit valser la casquette de la tête du jeune homme et lui infligea une petite conférence sur le respect dû aux morts. Mme Berryman, murée dans son agoraphobie, regardait tristement du haut de sa fenêtre.

La dernière étape du voyage se dressait devant eux, Cowslip Hill, où était bâtie la petite église. Gilbert banda ses muscles à l'intérieur des montants de la charrette et se prépara à gravir la côte. Un groupe d'hommes et de femmes étaient occupés à planter des arbres le long de la voie. Ils déposèrent leur bêche au passage du cortège.

– Des arbres ! s'exclama la Reine.

– C'est merveilleux, n'est-ce pas ? dit Charles. J'ai entendu la nouvelle à Radio 4. Jack Barker a ordonné une plantation massive d'arbres. J'espère qu'ils ont correctement préparé les trous, fit-il en se retournant avec anxiété.

Maintenant, Diana boitillait. Fitzroy Toussaint, éblouissant dans son costume noir, prit son bras avec sollicitude. Cette femme a besoin d'être soutenue, pensa-t-il, et il était exactement l'homme qu'il lui fallait. Malgré tout, il savait au fond de lui-même qu'elle était suffisamment forte pour survivre seule, à condition d'avoir retrouvé le respect d'elle-même.

Ann cria « Hooo là », comme Spiggy le lui avait appris, et Gilbert s'arrêta devant l'église. La foule s'y engouffra et prit place, comme une congrégation habituée des lieux. On apporta alors le cercueil, qui fut déposé devant l'autel. La Reine avait choisi les hymnes : *All Things Bright and Beautiful* et *Amazing Grace*. L'assemblée entonna avec entrain les paroles car tous aimaient chanter. On poussait facilement la chansonnette au pub et l'on ne s'arrêtait que lorsque le patron en intimait l'ordre. L'ex-famille royale chantait de manière plus retenue, excepté la Reine, qui se sentait étrangement pleine de force et comme libérée. Elle entendit la voix de Crawfie : « Chantez à tue-tête, jeune fille, ouvrez grand vos poumons ! » Elle les ouvrit tellement que Margaret et Charles, qui se tenaient à côté d'elle, sursautèrent, inquiets.

A la fin du service funéraire, le prêtre dit :

– Avant de nous rendre au cimetière, j'aimerais que vous vous joigniez à moi pour une prière d'action de grâces.

– L'curé a gagné aux courses, souffla M. Christmas à sa femme.

– Ta gueule ! chuchota Mme Christmas. T'es à l'église, Bon Dieu, un peu de respect !

Après un temps d'arrêt, le prêtre continua.

– Hier, un attentat a été perpétré contre la personne de notre Premier ministre bien-aimé. Heureusement, et grâce à Dieu, tout s'est bien terminé.

La princesse Margaret dit, *sotto vocce* :

– Heureusement pour qui ?

La Reine la foudroya de son célèbre regard qui tue et elle resta silencieuse. Légèrement agacé, le prêtre poursuivit :

– Dieu Tout-Puissant, merci d'avoir épargné la vie de ton serviteur Jack Barker. Notre petite communauté a déjà récolté les fruits de son administration pleine de sagesse. Notre école aura sous peu un nouveau toit, nous faisons des plans pour rénover nos maisons en ruines.

– Même que j'ai eu mon virement à temps, interrompit Giro Johnson, à l'autre bout de l'église.

– Moi, j'ai trouvé du boulot ! cria George Beresford en brandissant une lettre du nouveau ministre des Constructions d'urgence.

D'autres personnes chantèrent les louanges de Jack Barker et témoignèrent de sa munificence. Philomena Toussaint se livra à un exercice de possession mystique, et M. Pike, transporté par l'atmosphère d'intense émotion ambiante, confia que son rêve serait de voir un jour des chasses d'eau individuelles installées dans chaque cellule de sa prison. « Nous triompherons », chantait-il à tue-tête.

Vraiment, pensa le prêtre, ça tourne au culte rédemptiste. Il était hostile aux églises charismatiques depuis que sa femme lui avait reproché, lors d'une dispute, de manquer de charisme.

Charles ayant éprouvé le besoin de témoigner que le programme de plantations d'arbres était « la preuve de l'intérêt porté à l'environnement par M. Barker », le prêtre décida que trop, c'était trop. Il ordonna à l'assemblée de

s'agenouiller et de joindre les mains pour une prière silencieuse.

La Reine eut du mal à supporter le moment de la mise en
terre. Elle pressa les mains de ses deux enfants avant de
jeter une poignée de terre sur le cercueil. Sous son voile,
l'expression de Margaret indiquait la désapprobation. La
Reine montrait ses sentiments. C'était aussi inconvenant
que d'arracher un pansement adhésif en découvrant une
plaie. Charles avait du chagrin. Ann se serra contre lui, et
leur mère se retourna vers eux pour essayer de les réconforter. Margaret constatait, de plus en plus alarmée, que le protocole royal était battu en brèche par les résidents de Hell
Close, qui, un par un, s'avancèrent vers la Reine et la serrèrent contre eux. Quant à Diana, que faisait-elle dans les bras
de Fitzroy Toussaint? Et Ann qui pleurait, penchée sur
l'épaule de ce petit bonhomme grassouillet? Margaret frissonna, tourna le dos et se mit en marche pour redescendre la
colline.

La réception funéraire se poursuivit tard dans l'après-
midi. La Reine circula de manière informelle parmi ses
invités en évoquant avec bonheur les souvenirs de sa mère.
Dans la maison voisine, Philomena Toussaint demeura
seule, assise dans sa cuisine, à écouter la rumeur joyeuse
qui parvenait jusqu'à elle. Il lui était impossible de rester
dans une maison où l'on servait de l'alcool. Elle grimpa sur
une chaise et réorganisa ses « provisions » en piles au sommet de son placard. Toutes ces boîtes, ces paquets rigoureusement vides et qui représentaient une vie de pauvre et
l'orgueil d'une femme.

Au moment où la réception prenait fin, le prince Philip,
qui avait ingurgité un peu de nourriture liquide, reprit
quelques forces. Il s'assit sur son lit et affirma à une infirmière intérimaire, nouvelle dans le service, qu'il était bien
le duc d'Edimbourg, le mari de la Reine, le père du prince

de Galles, et qu'il avait à sa disposition le *Britannia*, le yacht royal dont l'entretien revenait à trente mille livres par jour.

— Mais oui, fit l'infirmière de son accent chantonnant à l'illuminé aux yeux écarquillés, mais oui, bien sûr... (Elle se tourna vers le voisin de lit de Philip, qui criait : « Je suis le nouveau Jésus-Christ ! ») Mais oui, dit-elle, mais oui, bien sûr.

Charles supplia M. Pike de l'autoriser à voir son jardin et Pike, l'humeur adoucie par deux grandes bières, se laissa attendrir, précisant toutefois :

— Une minute alors, pendant que je vais pisser.

Il partit en direction des toilettes au premier étage et Charles chuchota dans l'oreille de Diana :

— Vite, mon survêtement et mes baskets !

Diana s'exécuta tandis que Charles contemplait avec horreur le désastre déshydraté qui avait été autrefois son jardin. On entendit le bruit de la chasse d'eau suivi de celui des robinets de la salle de bains. En voyant son mari arracher ses vêtements de deuil et enfiler son survêtement, Diana comprit ses intentions. Elle se précipita sur son porte-monnaie, en sortit un billet de vingt livres et dit :

— Bonne chance, chéri, je suis désolée que cela n'ait pas marché.

Charles avait déjà sauté la barrière du jardin que Pike en était encore à s'essuyer les mains tout en furetant dans le placard de la salle de bains. Et lorsque, sa curiosité satisfaite, il referma la porte et redescendit pour récupérer son prisonnier, Charles courait vers le nord et la liberté.

Juin

45

Jack Barker recevait une délégation de l'Union des mères, qui militait en faveur d'une législation concernant les bordels. Elles se tenaient dans le salon du 10 et discutaient flagellation et lavements en dégustant des petits fours. Jack devait faire un effort pour montrer qu'il n'était pas choqué le moins du monde par la conversation des ces femmes entre deux âges, d'allure respectable.

– Mais enfin, dit Jack à Mme Butterworth (qui était à la tête de la délégation), vous ne voudriez tout de même pas un bordel à côté de chez *vous*, n'est-ce pas ?

Mme Butterworth saisit un beignet d'algues croustillant sur un plateau qui passait à sa portée et s'écria :

– Mais j'ai déjà un bordel à côté de chez moi ! La mère maquerelle est une femme charmante et les filles sont adorables. De plus, leur jardin est très bien tenu.

L'espace d'un instant, Jack fantasma sur des filles en petite tenue occupées à dresser à coups de fouet les fleurs dans les massifs.

– C'est tellement injuste, continuait Mme Butterworth, ces jeunes femmes vivent en permanence sous la menace de poursuites !

Jack hocha la tête mais il avait d'autres préoccupations. Sa déclaration au Parlement avait lieu dans une demi-heure. Il redoutait de se retrouver dans cette fosse aux lions pour y expliquer la solution qu'il avait imaginée afin de rembourser le prêt japonais. Sa secrétaire personnelle, Rosetta Higgins, entra dans la pièce et lui adressa un signe : il était temps de filer. Jack serra la main de Mme Butterworth, lui promit de s'occuper de son affaire – à laquelle il attachait la plus grande importance –, salua les autres dames à la cantonade et tourna les talons. Juste avant que la porte ne se referme, il entendit les commentaires de Mme Butterworth à l'intention du groupe de femmes.

– Des yeux *divins*, un beau cul, quel dommage qu'il ait des pellicules !

En sortant du 10, Jack brossa les épaules de sa veste noire et pensa : Espèce de vieille taupe, je trouverai où tu crèches et je fermerai ta boutique. Il regretta immédiatement cette pensée vengeresse. Que lui arrivait-il ? Il se tourna vers Rosetta, assise à côté de lui dans la voiture officielle, et dit :

– Vous m'achèterez un shampoing antipelliculaire, s'il vous plaît...

– Achetez-le vous-même ! répondit-elle. Je travaille seize heures par jour : vous croyez que j'ai le temps de faire les courses ?

– Enfin, je ne peux tout de même pas aller moi-même dans une boutique ! se plaignit Jack.

Le chauffeur se proposa :

– J'achèterai le foutu shampoing. Il y a un magasin à l'angle de Trafalgar Square. Quel genre de cheveux vous avez, Jack, gras, secs, normaux ?

Jack se tourna vers Rosetta :

– Quel type de cheveux j'ai ?

– Clairsemés, répondit-elle.

Ses cheveux, il est vrai, bouchaient l'évacuation de la douche, le matin. A courir d'un engagement officiel à un autre, il sentait qu'il laissait tomber des morceaux tangibles de lui-même. Ses cheveux se détachaient de son crâne et s'envolaient, à la recherche d'un abri plus sûr. Ils ne se sentaient plus en sécurité sur la tête de Jack.

La voiture démarra et tourna dans Whitehall. Rosetta tendit à Jack un dossier intitulé BOMB (RÉCENT ET CONFIDENTIEL).

– Vous feriez bien de lire ça, lui conseilla-t-elle.

Jack sourit. Dieu soit loué, un peu de délassement.

– Qu'est-ce que la vieille noix a encore inventé ?

Rosetta dit :

– Il a reçu le soutien officiel de la British Legion, du Caravaning Club de Grande-Bretagne et de la Fédération des jardins ouvriers. Entre autres. Lisez vous-même.

Jack ouvrit le dossier et en commença la lecture. Eric Tremaine devenait un sacré casse-pieds. Son mouvement de dingues ne se limitait plus à Kettering mais se répandait dans tout le pays. Chez Marks and Spencer, les parkas beiges s'envolaient comme des petits pains, on était en rupture de stock.

– Quel vieux con ! fit Jack en rendant le dossier à Rosetta. Et la Reine lui a répondu ?

Rosetta jeta le dossier sur les genoux de Jack :

– En dernière page…

Il l'ouvrit de nouveau et trouva une photocopie d'une lettre royale qui avait été interceptée par la poste :

9 Hell Close
Cité des Fleurs
Middleton
MI2 9WL

Cher Monsieur Tremaine,
Merci pour votre lettre. Je suis très reconnaissante de l'intérêt que vous et votre femme portez à mon bien-être et à celui de ma famille. Cependant, je vous conseille vivement de vous en tenir à vos nombreux intérêts et violons d'Ingres et d'oublier BOMB. Je ne voudrais pas me sentir responsable des difficultés que vous seriez susceptibles de rencontrer avec les autorités.
Je vous présente mes excuses pour le papier à lettres vulgaire, le choix, à l'échoppe locale, est plutôt limité.
Votre dévouée,

Elizabeth Windsor

*PS : le contenu de votre correspondance sera certaine-
ment porté à la connaissance des autorités. Par conséquent, je dois vous prier de ne plus m'écrire. Je suis certaine que vous comprendrez.*

Le chauffeur arrêta la voiture et se précipita dans le
supermarché. Jack lut une photocopie d'un autre message
émanant de Tremaine et griffonné, dans une calligraphie
penchée vers l'arrière, au dos d'un ticket d'entrée pour
l'exposition de la Maison idéale.

Votre Majesté,
*J'ai déchiffré votre message codé, « Je suis certaine que
vous comprendrez ». C'est pourquoi votre laitier, Barry
Laker, vous remettra le message en mains propres avec
votre litre de lait demi-écrémé. Je me manifesterai bientôt.*
Votre dévoué,

Eric (BOMB)

Et ce n'était pas fini :

Votre Majesté,
*Pardonnez mon silence. Lobelia et moi avons dû nous
rendre à la caravane pour quelques jours. Des vandales
sont entrés par effraction et ont complètement démoli une
banquette-lit ainsi que l'installation de douche. Lobelia a
pris des tranquillisants à la suite de cette catastrophe mais,
à l'instant présent, elle est remise en selle.*
*Le nombre des adhérents à BOMB progresse à pas de
géant. Nous comptons des membres dans des endroits aussi
reculés que Dumfries et Totnes. Notre postier (Alan) pré-
tend, en plaisantant, que nous aurons bientôt besoin d'un
casier à la poste centrale.*
*Lobelia adresse son amical souvenir à Diana (qui a tou-
jours été sa favorite). Personnellement, je vous préfère,
ainsi qu'Ann (pour le bon boulot qu'elle effectue à l'étranger auprès des gamins de couleur).*
Votre affectionné,

Eric

Envoyez en toute sécurité votre réponse par le laitier, Barry Laker. C'EST L'UN DES NÔTRES.

Le chauffeur remonta dans la voiture et glissa une bouteille de shampoing contre les pellicules dans la boîte à gants.

Le dossier Tremaine contenait encore d'autres documents. Jack soupira en lisant les notes de la Reine à l'intention du laitier.

JEUDI : 1 autre litre, s'il vous plaît
SAMEDI : 6 yoghourts 0 % matière grasse
LUNDI : Puis-je vous régler mercredi ?
MERCREDI : Désolée, Barry, le virement n'est pas arrivé

Jack demanda :

– Ce Barry Laker, il travaille pour nous ?

– Non, répondit Rosetta, il travaille pour la laiterie. C'est un laitier de confiance qui se trouve être membre de BOMB. Des millions de gens en font partie, Jack, vous devriez les prendre au *sérieux.*

Mais Jack ne pouvait prendre BOMB au sérieux. Pendant que la voiture se dirigeait vers Parliament Square, il sortit du dossier la dernière photo d'Eric et Lobelia Tremaine et éclata d'un rire tonitruant. Le photographe avait saisi le couple dans son jardin. Eric était en train de tailler une vigne vierge en folie qui avait envahi les gouttières. Son visage stupide était tourné vers Lobelia, surprise par l'appareil au moment où elle tendait à son époux un biscuit et une tasse fumante. Au bas de la photo était imprimé : *16 heures.*

– Prends ton quatre heures à quatre heures précises, même si tu es sur une échelle, rigola Jack. Vous voulez vraiment que je prenne ces connards au sérieux ? Et vous avez vu comment la bonne femme est attifée ?

Il montra la photo à Rosetta, qui constata :

– Et alors, elle manque de goût vestimentaire, c'est tout.

La voiture passait devant le Cénotaphe. Jack fronça les sourcils.

– Ce n'est pas une question de goût vestimentaire, Rosetta.
Elle est habillée comme une *dingue*. Ce sont des fous
patentés, bons pour l'asile.

Rosetta contempla Whitehall avec irritation. Elle n'aimait
pas quand Jack était de cette humeur. Elle le préférait en
leader *digne* et posé, indifférent à ce que les gens portaient
ou non.

Comme la voiture atteignait le Parlement, deux motards
de la police entourèrent la voiture. L'un d'eux cria :

– On fonce tout droit ! Suivez-nous !

Le chauffeur obtempéra.

– Mesure de sécurité, dit Rosetta.

– Dieu merci, fit Jack.

Il aurait une excuse pour différer son discours concernant
les rudes dispositions financières entre l'Angleterre et le
Japon. Comme la voiture filait à toute allure le long de Hill-
bank, Jack regarda la Tamise, imaginant combien ce serait
bon de prendre un bateau jusqu'à Southend, puis au-delà
jusqu'à la mer.

En début de soirée, la Reine se rendit chez Patel, le marchand de journaux, pour s'acheter une plaque de chocolat.
Lorsqu'elle était fabuleusement riche, elle n'affectionnait
pas ce genre de plaisirs. Maintenant qu'elle était pauvre,
elle raffolait des confiseries. Très curieux. Alors qu'elle
contemplait avec envie les rangées de bonbons enveloppés
de couleurs vives, ses yeux tombèrent sur la dernière édi-
tion du *Middleton Mercury* sur le comptoir. Un énorme titre
courait en haut de la page :

UN HABITANT D'UPPER HANGTON ARRÊTÉ.
SENSATIONNEL COMPLOT AUX COMMUNES

Avec la permission de M. Patel, elle lut l'article :

*Eric Tremaine a été arrêté de bonne heure ce matin à
Londres en possession d'explosifs. Âgé de 57 ans, Tremaine*

a été appréhendé dans les sous-sols du Parlement par un chien policier accompagné d'un maître-chien. L'homme avait en sa possession un sac de grand magasin contenant une petite quantité de dynamite. Tremaine, un poissonnier à la retraite, a été conduit au commissariat de Bow Street pour y être entendu.

Le jardin le mieux entretenu

Upper Hangton chancelait encore sous le choc lorsque Dick Wilson, notre reporter a interrogé quelques résidents. « Eric devait présider le concours du Jardin le mieux entretenu, samedi, a déclaré Edna Lupton, 85 ans. Je ne sais pas ce qui va se passer maintenant. »

Excentrique

Un voisin qui a préféré garder l'anonymat a déclaré : « Eric était quelque peu excentrique. Il ne s'est jamais remis d'avoir perdu son magasin de poissons. » Des voisins s'occupent de Mme Lobelia Tremaine, 59 ans. Eric Tremaine est le fondateur de la campagne orchestrée par BOMB (suite et commentaires en p. 3).

La Reine feuilleta le journal jusqu'à la page 3.

Aujourd'hui, Eric Tremaine a été arrêté en possession de dynamite par un courageux chien policier escorté de son maître-chien. Nous voudrions d'ores et déjà féliciter ce chien, dont nous ignorons encore le nom. Qui sait quelle terrible catastrophe il a évité ? Comme nos lecteurs le savent, ce journal a soutenu la campagne de M. Tremaine pour restaurer la monarchie et s'opposer à Jack Barker, à ses dépenses inconsidérées d'un argent que ni lui ni la nation ne possèdent. Cependant, il semblerait que l'enthousiasme de M. Tremaine l'ait conduit à employer la violence pour atteindre son but. Notre journal ne peut ni ne doit approuver de telles méthodes.

La Reine replia soigneusement le journal et le replaça sur le comptoir. En regardant la photographie floue de Tremaine en première page, elle dit :

— Il est exactement tel que je l'imaginais.

— Vous connaissiez cet homme ? demanda M. Patel.

— J'étais au courant de son existence, rectifia la Reine en hésitant entre une barre de chocolat à la menthe et un tube de Smarties.

46

La Reine était assise dans la salle de séjour à Grimstone Towers. Auprès d'elle, Philip portait un peignoir blanc frappé au dos du sigle *Propriété de l'hôpital*. Entre eux la conversation s'était tarie. La Reine lisait la revue *Troisième Age* et Philip regardait une télévision mal réglée perchée sur une planche posée contre le mur. Les autres patients devisaient aimablement avec les membres de leur famille. La Reine interrompit sa lecture d'un article de Germaine Greer sur les problèmes de jardinage dans un terrain en plein vent et parcourut la pièce du regard. Pas facile d'établir une différence entre les patients et leurs visiteurs, pensa-t-elle. Si seulement Philip acceptait de porter des vêtements au lieu de cette robe de chambre. Que marmonnait-il? Elle se pencha vers son mari pour l'écouter :

– Yeux bridés, dit-il en regardant la télévision.

La Reine suivit son regard et vit l'empereur Akihito du Japon en train de saluer du haut des marches d'un avion. L'angle de prise de vue changea et la princesse Sayako apparut en bas de l'escalier, s'apprêtant à faire la révérence à son père. Jack Barker se tenait près d'elle. Le soleil brillait sur son crâne chauve. Philip se montrait de plus en plus agité.

– Yeux bridés, hurla-t-il.

La Reine fit « Chut, chéri », mais Philip bondit sur ses pieds et s'avança vers la télé en jurant et en agitant son poing fermé. Elizabeth comprit alors pourquoi le poste était posé si haut sur le mur. Un infirmier vint chercher Philip pour le reconduire à son lit dans le grand dortoir. La Reine leur emboîta le pas. De la salle de visite parvint le bruit d'une étrange musique que la Reine identifia immédiatement comme étant l'hymne national japonais exécuté, selon toute vraisemblance, par l'orchestre des Coldstream Guards.

Plus tard, en descendant l'allée de Grimstone Towers en direction de la station d'autobus, la Reine rencontra un groupe de misérables loqueteux qui avaient établi un camp provisoire sur un terrain vague. L'un d'entre eux, un jeune homme vêtu d'un manteau traînant jusqu'au sol, s'approcha d'elle :

— Est-ce qu'on peut revenir, madame ?

Elle expliqua qu'elle était une visiteuse, qu'elle n'appartenait pas aux services de l'hôpital.

— Nous voulons retourner là-bas, gémit d'une voix d'enfant une femme d'âge moyen.

Un homme au visage buriné cria :

— On nous a fait retourner chez les putains de gens normaux à coups de pied au cul, mais les putains d'normaux peuvent pas nous saquer et nous non plus. Le Jack Barker, là, il a dit qu'y nous f'rait rentrer. S'il l'a dit, il a qu'à l'faire, l'faire, l'faire…

Elizabeth lui assura qu'elle était tout à fait d'accord avec lui et se dépêcha pour attraper son bus.

47

Barry, le laitier, frappa à la porte du 9, Hellebore Close à s'en faire mal aux poings. Il était seulement cinq heures et demie du matin, mais il devait être sûr que la Reine recevrait l'enveloppe *en mains propres*. Lobelia Tremaine avait beaucoup insisté sur ce point.

Harris se mit à aboyer du haut des escaliers et Elizabeth ne tarda pas à faire son apparition, les yeux larmoyants et les cheveux ébouriffés. Barry tenait devant lui la bouteille de lait demi-écrémé de sa cliente comme s'il s'agissait de l'orbe royal. Il jeta un coup d'œil derrière lui et chuchota :

– Un message pour vous, Votre Majesté.

Il tendit la bouteille de lait et, dans le même mouvement, glissa l'enveloppe dans la main de la Reine.

– De la part de Mme Tremaine, dit-il avec le plus grand calme.

Il tourna les talons et s'en fut.

La Reine soupira et ferma la porte. Elle avait espéré que toute cette stupide affaire Tremaine était terminée.

Elle passa dans la cuisine et posa la bouilloire sur le feu. Pour meubler son attente, elle ouvrit l'enveloppe et déplia les feuilles de papier. La première consistait en une note manuscrite sur une feuille portant l'effigie d'un blaireau.

Votre Majesté,
Vous n'êtes pas sans savoir que mon mari a été arrêté hier. C'est un coup cruel porté à notre Cause. Cependant, j'ai l'intention de reprendre le flambeau bien que je ne sois

*qu'une faible femme. Un partisan australien nous a envoyé
cette nouvelle découpée dans le* Sydney Trumpet...

La Reine laissa tomber la lettre de Lobelia et se saisit de
ce qui semblait être un fax.

UN PRINCE ANGLAIS EN BALADE

Disparition mystérieuse d'un directeur de tournée,
membre de l'ex-famille royale

Ed Windmount, directeur de tournée du spectacle Sheep !,
*qui s'abrite actuellement au Queen's Theatre de Sydney, a
disparu la nuit dernière, une heure avant le lever du rideau.
« Il est parti tard ce tantôt pour le théâtre, a confirmé Clive
Trelford, gérant du Bridge View Hotel, et il n'a pas dormi
dans son lit. » M. Craig Blane, le metteur en scène de*
Sheep !, *a déclaré aujourd'hui : « Nous sommes totalement
dépassés. Ed est généralement très sérieux. Nous craignons
le pire. »*

*La dernière personne à avoir rencontré le ci-devant prince
anglais, Bob Gunthrop, chef électricien, témoigne : « J'étais
en train de travailler sur la scène et j'ai vu un type bâti
comme un grizzli qui passait dans les coulisses avec Ed. J'ai
entendu Ed crier « Au secours ! » mais je n'ai pas réagi. Ed
était un petit avorton maladroit, même pour un brit', et j'ai
pensé qu'il s'était pris les pieds dans une poulie. »*

*La police de Sydney a publié la description de l'inconnu.
« Un mètre quatre-vingt-dix, forte carrure, teint bronzé, nez
cassé, cicatrice joignant l'oreille gauche à la bouche. Porte
un béret vert, une tenue camouflée, des rangers. »*

Le fax ne portait aucune date. Depuis quand Edward
avait-il disparu ? Jusqu'à présent elle pensait que le malheur
avait au moins épargné le plus sensible de ses enfants. Mais
à présent, grâce à cette maudite Lobelia Tremaine, elle avait
une raison supplémentaire de se faire de la bile.

Elle récupéra la lettre de Lobelia dans la gueule de Harris et en reprit la lecture. Après moult détails dépourvus d'intérêt concernant BOMB, figurait un post-scriptum :

PS : je sais de source sûre que le prince Andrew est à bord d'un sous-marin quelque part sous le pôle Nord.

– Voilà pourquoi on n'a pas réussi à mettre la main sur Andrew, dit-elle à Harris. Andrew le Veinard…

48

Ann et Spiggy, passés en milieu de journée voir la Reine, se montrèrent très choqués de la trouver en robe de chambre et pantoufles. Sans dire un mot, Elizabeth tendit à sa fille la coupure de presse. Ann lut courtoisement à haute voix, se rappelant que Spiggy était analphabète. La Reine rejeta en arrière ses cheveux emmêlés et soupira profondément. Ann dit :

– Je sais, Maman. C'est un coup supplémentaire qui vous est porté, mais ce n'est pas une raison pour vous laisser aller.

– Spiggy se propose de nous inviter pour le déjeuner, cria Ann en direction de sa mère qui, un peu plus tard, s'extirpait péniblement de la salle de bains.

Déjeuner où ? se dit la Reine. Au stand de hot dogs ? Sur le bord de l'autoroute à quatre voies ? Assis sur un mur, à côté du Fish 'n' Chips ?

Elle fut agréablement surprise lorsque Spiggy les conduisit à son cercle, le Club des Travailleurs de la Cité des Fleurs, où, en guise de signature, il fit une croix au bas du registre réservé aux membres.

La salle à manger était confortable et la Reine, qui était très affamée, se réjouit à la vue des viandes, salades, fromages empilés sur le comptoir. Il y avait même du pâté en croûte et des œufs durs à l'écossaise, enrobés de chair à saucisse. Une télévision murmurait dans un coin, apportant une petite touche familière. A travers une porte entrouverte, la Reine contempla des couples de son âge en train de s'agiter sur des rythmes vieillots.

Violet et Wilf Toby tournoyaient enlacés sur la piste de danse. Violet arborait des mules tressées à hauts talons écarlates, une veste assortie et une expression de bonheur.

La Reine s'enfonça dans une banquette de skaï, à côté d'Ann. Elle avait envie de se détendre.

Un rouleau de billets à la main, Spiggy s'avança vers le bar pour commander les plats et les boissons.

En regardant Norman, le lugubre serveur, préparer leur commande de ses mains malpropres, la Reine entendit Crawfie lui dire : « Vous devez manger ce qui vous est servi. Le contraire serait très mal élevé. »

Lorsqu'ils furent servis, Ann leva sa pinte de bière et déclara :

– Et si nous oubliions notre famille, hein ?

Un ange passa. Spiggy avala la moitié de son œuf à l'écossaise et mentionna Gilbert. Aussitôt, tous trois se lancèrent dans une conversation animée sur les chevaux qu'ils avaient connus et aimés jusqu'à ce que le visage sombre de Jack Barker apparût sur l'écran.

– Y a un lézard, déclara Spiggy en consultant sa montre. Généralement, c'est le programme pour les mômes à c't' heure-là... Eh, Norman, monte un peu la téloche ! cria-t-il à l'adresse du serveur.

Norman tripota les boutons avant de trouver le bon, et la voix de Barker se fit entendre clairement.

– Par conséquent et en considération de la crise financière mondiale, laquelle menace la stabilité de ce pays, c'est-à-dire le maintien de notre mode de vie, votre gouvernement a jugé nécessaire de procéder à des réformes constitutionnelles de très longue portée...

La Reine siffla son verre de vin blanc et dit d'un ton sceptique :

– Nous ne possédons pas de Constitution écrite. Apparemment, Barker est sur le point de rédiger la sienne.

Elle se renversa en arrière, désireuse d'en savoir un peu plus. Mais elle fut déçue.

Jack Barker continuait :

– Depuis que j'ai accepté la charge de Premier ministre, j'ai considéré comme étant dans mes attributions d'inaugurer un programme de réformes radicales, en dépit des oppositions rencontrées de différents côtés. Quelle que soit la charge qui m'échoira dans le futur, je ferai toujours preuve du même dévouement auprès de mes concitoyens et de ma patrie...

– Cela signifie-t-il qu'il compte présenter sa démission ? murmura la Reine.

– Ben, c'est pas l'moment, grogna Spiggy, il vient juste de supprimer la taxe d'habitation !

– Chut, Spiggy, fit Ann.

Jack conclut brusquement :

– Demain, à onze heures, je formulerai une adresse complète à la nation. Bonne journée !

Un présentateur en costume noir déclara d'une voix forte :

– Toutes les émissions programmées pour la journée de demain sont annulées dans l'attente de l'intervention du Premier ministre. Cette annulation affectera l'ensemble des chaînes.

– Nom de Dieu, fit Norman, qui en dehors de son travail était un accro de la télé. C'est la fin du monde ou quoi ?

Jack se précipita hors du studio de télévision de West-
minster puis dans son automobile pour parcourir la faible
distance le séparant de Downing Street. Les pneus de la
voiture avaient beau être en caoutchouc et la rue recouverte
de macadam, il lui semblait ressentir les roues métalliques
de la charrette tressautant sur les pavés.

Dans la chambre de son *pied-à-terre** (une suite au
Savoy), Sayako se tenait debout devant un miroir.
Elle savourait littéralement son image. Parfaite, elle était
parfaite. Comme une icône qui serait bientôt admirée dans
le monde entier. Ses servantes l'avaient aidée à essayer les
dernières et les plus exquises tenues créées spécialement
pour elle. Elles pendaient maintenant dans des housses
à l'intérieur du placard. Portant avec élégance, mais
d'une manière moins somptueuse, l'un de ses derniers
achats de Sloane Street, Sayako ramassa son sac, un exem-
plaire du *Debrett's Peerage*[1], et descendit les escaliers pour
rejoindre sa voiture. Elle sortait prendre le thé.

Lorsque la voiture de Jack s'arrêta devant le 10, il n'en
descendit pas immédiatement, bien que le chauffeur lui ait
ouvert la porte.

* En français dans le texte original.
1. *Debrett's Peerage, Baronetage, Knightage and Companionage* :
annuaire répertoriant la noblesse britannique.

– Y a quéque chose qui va pas, Jack ? lui demanda ce
dernier.

L'expression « quéque chose » résonna dans la tête de
Jack ; encore un souvenir de son enfance et des principes
qu'il avait formulés à cette époque. Il se raidit. Il ressemblait à l'un de ces mannequins utilisés par les constructeurs
automobiles pour simuler les accidents de la route en labo-
ratoire. Il mentit.

– Une crampe… Juste une minute…

A l'intérieur du 10, le thé avait été préparé par une femme
vêtue de soie au visage poudré de blanc. Les invités d'honneur attendaient dans une antichambre. Jack se décida enfin
à les rejoindre. Les pieds nus sur la moquette, il tendit
machinalement la main. Au dernier moment, il se souvint et
se plia en deux pour saluer.

Ce jour-là, la Reine s'apprêtait à payer ses achats à la caisse de Hyper-Super lorsque Victor Berryman laissa tomber quelque chose à l'intérieur de son sac.

— Ne regardez pas maintenant, murmura-t-il.

Rentrée à la maison, elle découvrit en déballant ses paquets que le mystérieux objet était une lettre, de la main de Charles.

Le monde sauvage,
loin vers le nord

Maman chérie,
Un mot rapide (je suis sans cesse en mouvement) pour vous dire que je suis « over the sea to Skye[1] *». Enfin, pas absolument ni littéralement au-delà des mers ni à Skye, mais certainement dans le voisinage.*
Je dors pendant la journée et, la nuit, je pars en quête de ma nourriture. J'essaie de ne faire qu'un avec la bruyère et je crois y parvenir assez bien. C'est une chance que mon survêt' (béni soit ce vêtement si confortable) soit mauve et vert. Avant que l'hiver ne s'installe, j'espère trouver une masure abandonnée et y installer mes pénates. Je saurai me

---

1. Allusion à une chanson ayant pour héros *Bonnie Prince Charlie*, Charles Edward Stuart (1720-1788), prétendant au trône d'Angleterre en 1745 et qui dut fuir en exil.

contenter de peu : un feu de tourbe, un lit de bruyère, une
nourriture simple et, peut-être, un coup d'œil sur le Daily
Telegraph, *de temps en temps.*

Ah, une chose avant de terminer. S'il vous plaît, Maman,
rappelez-moi au bon souvenir de Beverley Threadgold.
Assurez-la que c'est le temps qui m'a manqué pour lui dire
au revoir. Bien sûr, j'adresse mes salutations à Diana et aux
garçons.

Une nouvelle vie m'appelle. J'ai besoin de sentir le
souffle du vent sur mon visage et d'entendre les cris d'effroi
des petits animaux capturés par les prédateurs ailés.

Très chère Maman, je vous envoie tout mon amour,

C.

La Reine martela de ses doigts la table de la cuisine et dit
à haute voix : « Si je fumais, j'aurais certainement besoin
d'une cigarette sur-le-champ. » Elle haïssait l'idée d'un
Charles solitaire et fugitif. Comment ce stupide garçon se
débrouillerait-il durant l'implacable hiver écossais, lorsque
l'air lui-même se transforme en glace ? Elle ouvrit un tube
de Smarties, le vida sur la table de la cuisine et se mit soigneusement à trier tous les rouges.

51

Elle avait réglé son réveil pour sept heures quinze. Harris n'était pas rentré la nuit précédente. Le chameau, il sait pourtant que je m'inquiète, pensa la Reine. Elle sortit dans l'intention d'explorer Hell Close.

Une heure plus tard, la Reine alluma la télévision. La façade de Buckingham Palace remplit l'écran. Le porte-étendard restait vide. Une musique martiale résonna – celle des Royal Marines, se dit la Reine. Elle dégagea les fils de l'aspirateur qui s'étaient emmêlés avec ceux du fer à repasser et traîna l'engin hors du placard sous l'escalier.

Sur l'écran, l'image restait fixe, mais la Reine y jetait un coup d'œil de temps à autre tout en aspirant la poussière du tapis. A intervalles réguliers, elle se baissait pour dégager les fils laissés par Spiggy, qui s'engouffraient dans le suceur.

Elle tenait à ce que la maison soit à son avantage. Elle avait invité famille et amis à assister à l'émission. Toute à son ménage, elle remarqua cependant que ses mains tremblaient quelque peu. Elle avait un très mauvais pressentiment quant à la nature de l'annonce de Jack Barker.

A dix heures cinquante-cinq, la petite pièce était pleine comme un œuf. La Reine devait enjamber les uns et les autres pour servir le café et les biscuits. L'écran affichait maintenant la porte du 10, Downing Street, ainsi que la foule momentanément contenue par une rangée de policiers se tenant par le bras.

A onze heures pile, la porte étincelante du 10 s'ouvrit et Jack Barker sortit. Il était seul. Il semblait pâle et fatigué, comme si, pensa la Reine, il était resté debout toute la nuit. Il s'avança vers la rangée de micros et leva la main pour obtenir le silence. Il commença par regarder ses pieds, releva la tête et dit :

— Mes chers compatriotes, la nuit dernière j'ai signé un document qui améliorera grandement notre existence à tous. L'autre signataire est Sa Majesté l'Empereur Akihito du Japon.

Jack extirpa de la poche de sa veste un morceau de papier qu'il brandit en direction des caméras de télévision et des hordes de photographes.

La Reine s'écria :

— Allez, vas-y, bonhomme !

Jack remit le papier dans sa poche et reprit sa harangue :

— A dater d'aujourd'hui, l'Angleterre, l'Ecosse, le Pays de Galles et l'Irlande du Nord ont signé avec le Japon un traité d'amitié qui cimentera et renforcera les liens toujours grandissants qui unissent nos deux grands pays, nous apportant une sécurité et une prospérité nouvelle…

— Assez de baratin, Barker, protesta la Reine, au fait !

Jack se força à fixer l'objectif des caméras, comme si ce face-à-face avec des millions de téléspectateurs pouvait les convaincre de sa sincérité.

— Je suis heureux et fier de vous affirmer que ce traité ramènera la Grande-Bretagne sur le chemin de la grandeur. De nouveau, nous formerons un empire sur lequel le soleil ne se couche jamais…

De la plus grande partie de la foule jaillirent des acclamations.

— Qu'est-ce qu'il mijote ? murmura la Reine.

Jack continuait :

— Depuis le mois d'avril, je vous ai servi comme Premier ministre. A partir d'aujourd'hui, je continuerai à résider au 10, Downing Street, pour vous servir dans mes nouvelles fonctions. Celles de gouverneur général de Grande-Bretagne.

La Reine hurla :

– Gouverneur général !

Ses invités lui dirent de se taire.

Jack n'avait pas fini :

– Nous partageons désormais la souveraineté de ce pays avec l'empire du Japon.

Cette fois, la Reine ne put se contenir :

– Il nous a vendus ! cria-t-elle. Il nous a vendus comme une vulgaire marchandise !

Jack concluait :

– Conséquence de ces changements constitutionnels, l'emprunt temporaire de douze mille billions de yens négocié par mon gouvernement en avril, emprunt qui devait être remboursé en juin, a été repoussé indéfiniment. Cet accord fédéral avec la nouvelle puissance japonaise – laquelle nous assure en contrepartie un partenariat privilégié – nous permettra, à longue échéance, de nous doter des moyens nécessaires pour rebâtir notre grande nation. Ce que nous voulons et ce que nous méritons. Enfin, cette alliance politique et financière se doit d'être concrétisée par une alliance sur le plan personnel. J'ai l'honneur de vous annoncer qu'elle va se réaliser sur-le-champ.

La porte noire s'ouvrit et Jack se rua vers l'intérieur.

– C'est quoi qu'il a dit ? demanda Spiggy, décontenancé par le vocabulaire employé.

– Jack Barker a hypothéqué le Royaume au profit de la Banque du Japon ! cria la Reine.

– Vingt Dieux ! fit Violet. Va falloir qu'on parle japonais ?

– Ça m'f'rait mal, déclara Wilf, j'suis trop vieux pour apprendre une autre putain d'langue. Déjà que j'sais à peine causer l'anglais…

Beverley Threadgold ajouta :

– J'connais un mec qu'a été manger une fois dans un resto japonais. Paraît que c'est dégueulasse. Tout c'qu'y a à bouffer c'est du poisson cru…

Violet réagit avec indignation :

– Ben, s'y croient qu'ils vont s'am'ner par ici pour nous empêcher de cuire not' poisson, c'est pas moi qui vais supporter ça !

– A qui faudra-t-il payer le loyer ? demanda Philomena Toussaint. A la municipalité ou à la Banque du Japon ?

– Cela ne serait pas arrivé si nous avions une vraie Constitution écrite, fit Margaret de sa voix traînante.

La Reine dut quitter la pièce. Sa tête était sur le point d'éclater. Etait-elle la seule à réaliser la pleine signification du geste de Jack Barker ? Un coup d'Etat s'était produit. L'annexion de la Grande-Bretagne la transformait en un îlot supplémentaire japonais.

Elle sortit dans le jardin. Toujours aucune trace de Harris. Sa pâtée de la veille était encore dans l'assiette. Elle la jeta dans la poubelle sous l'évier.

C'est une bonne chose que Philip soit devenu fou, songea-t-elle. Savoir que sa bien-aimée patrie d'adoption avait été vendue comme un poisson l'aurait rendu fou.

Elle saisit sa radio portable Sony et la précipita contre le mur de la cuisine. Ann apparut dans l'embrasure de la porte et dit :

– Maman, venez voir ça !

A la télévision, on apercevait maintenant le Mall bordé d'une véritable foule. Certains brandissaient l'Union Jack, mais d'autres agitaient des drapeaux aux armes du Soleil levant. Il était évident pour la Reine – une experte en la matière – que la foule n'avait aucune idée de la raison de sa présence sur le Mall. Les gens s'étaient rassemblés dès qu'ils avaient aperçu les barrières destinées à les contenir.

Fitzroy était en train d'expliquer à Diana les menaces qui pesaient sur son job. Il administrait les biens de sociétés en faillite, n'est-ce pas ? Par conséquent, s'il n'y avait plus de faillite, il allait se retrouver dans de beaux draps.

La caméra délaissa la foule pour fixer une calèche dorée tirée par quatre chevaux blancs emplumés qui remontait le Mall en passant sous l'Arche de l'Amirauté. L'assistance fit

automatiquement entendre des vivats bien que – les rideaux
étant tirés – il lui fût impossible de distinguer qui se tenait à
l'intérieur.

La Reine vociféra :

– Ils ovationneraient des chimpanzés, ces imbéciles !

Ann fit remarquer :

– C'est exactement ce que nous étions, Maman. Nous
vivions dans un foutu zoo et le public venait nous reluquer.
Je suis bien contente d'en être sortie.

Spiggy s'était discrètement rapproché d'elle sur le sofa,
la Reine s'en aperçut. L'atmosphère de la pièce devenait
irrespirable. Elle avait besoin d'air frais. Ses tempes lui bat-
taient douloureusement.

Comme la calèche tournait pour franchir les grilles de
Buckingham Palace, Tony Threadgold manifesta son éton-
nement :

– C'est qui qu'est dans la carriole ?

– C'est à moi que vous le demandez ? fit la Reine d'un
ton pincé.

Sur l'écran on voyait maintenant une frégate nipponne
glisser vers Tower Bridge. Les matelots, britanniques et
japonais, étaient alignés sur le pont, au garde-à-vous. La
Reine eut un petit ricanement de mépris. La caméra fixait
de nouveau Buckingham Palace. Deux silhouettes apparurent sur le balcon. Un zoom révéla que l'une d'entre elles
était Jack Barker, vêtu comme un soldat de plomb. Il portait
un tricorne orné d'une plume blanche et un habit écarlate
agrémenté de décorations que la Reine ne put identifier. A
ses côtés se tenait l'empereur Akihito, resplendissant dans
un kimono de soie.

Ils saluèrent la foule, qui, automatiquement, les salua en
retour. Puis Jack fit un pas vers la droite, l'empereur vers la
gauche, et deux autres silhouettes apparurent. L'une portait
un chatoyant ensemble de soie blanche et de mousseline
ainsi qu'une coiffure tressée de fleurs d'oranger. L'autre
était en jaquette et chapeau haut-de-forme gris.

– Qui diable est-ce encore ? hurla la Reine.

Avec obligeance, la caméra s'approcha encore plus près pour lui montrer... son propre fils Edward, qui, avec ses binocles et son air morose, tenait par la main sa jeune épousée, Sayako, la fille de l'Empereur.

Incrédule, la Reine contempla l'Empereur souriant à son nouveau gendre tandis qu'Edward se penchait sur le côté, comme un automate, pour embrasser sa femme. En bas, la foule hurlait sa joie à en faire trembler la télévision.

– Ils ont pris Edward en otage ! éructa la Reine, folle de rage. Ils vont l'obliger à vivre à Tokyo. Il sera *son* prince consort !

La Reine dardait un index vengeur en direction de Sayako. Déjà, elle ne pouvait pas supporter sa nouvelle belle-fille.

Dans sa tête éclata comme un bruit de tonnerre. La caméra découvrit, au-dessus de Buckingham Palace, le ciel où se découpait le porte-étendard toujours vide. Tout en haut, l'escadrille aérienne des Red Devils, désormais repeinte en jaune, surgit dans un hurlement d'enfer et exécuta ses loopings au-dessus du Palais, à la grande joie de la foule. Edward les regarda d'un air maussade s'éloigner vers le sud de Londres.

C'est alors que l'événement eut lieu. Un étendard s'éleva centimètre par centimètre avant de se déployer avec arrogance dans le vent : le drapeau japonais. La Reine poussa un cri déchirant :

– Ce sacré Bon Dieu de monde est-il devenu complètement fou ?

Avec l'aide d'Edward, Sayako fit une révérence, dévoilant ce qu'elle tenait dans ses bras et qui lui assurerait, pensait-elle, l'affection de millions d'amoureux des bêtes. C'était Harris, qui arborait un collier tressé de fleurs d'oranger.

– Harris ! Sale petit traître ! hurla la Reine.

Le corgi contemplait Sayako d'un air flagorneur. L'Empereur flatta de la main le petit chien britannique. Harris montra les dents et se mit à grogner. L'Empereur eut l'inconscience de persister. Il esquissa une caresse sur la tête de l'animal. Il n'eut pas le temps de poursuivre, Harris referma ses dents sur le pouce impérial. L'Empereur lui infligea un coup de gant et, sur l'instant même, perdit la sympathie de tout le peuple britannique.

Harris montra de nouveau les dents en une grimace malveillante et se mit à aboyer avec fureur. La caméra continua de fixer la tête du chien qui bientôt emplit l'écran. La Reine et ses invités reculèrent d'effroi. On ne voyait plus que la langue rouge vif de Harris et ses dents acérées.

Avril

52

La Reine se réveilla en sursaut aux aboiements de Harris qui bondissait du lit en se précipitant sur le poste de télévision. Jamais il n'avait paru si féroce.

Elle était trempée de sueur. Les draps de lin épais collaient à son corps moite et glacé. Comme d'habitude, son regard se porta vers la tache d'humidité dans le coin supérieur de la pièce pour s'apercevoir qu'elle avait disparu. A sa place on distinguait quelque chose ressemblant à une tenture murale soyeuse.

– Oh du calme, sale petit chien ! cria la Reine.

Harris continuait d'aboyer en direction de l'écran.

Pour le faire taire, la Reine s'empara de la commande et alluma la télévision. Un David Dimbler aux yeux rouges répétait pour la énième fois que les conservateurs venaient de remporter les élections.

– Mon Dieu, quel cauchemar… grogna la Reine en tirant le drap sur sa tête.